鈴木創士

# 芸術破綻論

月曜社

芸術破綻論

目次

帝国は滅ぶ



1　実在



2　像



3　身体

# 序にかえて

# 帝国は滅ぶ

ローマは一日にしてならず
千年にしてならず
昨夜、ローマ帝国は滅んだ
黒焦げの大地よ、猛烈な渦よ
底なしの忍耐よ
血の色をした満月が天頂にさしかかる
天を汚す月、月経にまみれたポイペ
俺たちはけっして働かないだろう
おお、火の夜よ
地獄の女は
帝国の仮の守護神などではない

玉座にはひからびた団栗がひとつ
目のない栗鼠が一匹
スズカケの大木が轟音とともに倒れたのだ
砂塵をあげる駿馬のいななき
そいつが遠くでさらに灼熱の陽を浴びる
少年の王よ
護衛の兵士に喉をかき切られ
半身を虚しく探し求め
あるいは自分の頸動脈を食いちぎる王よ
おまえは玉座からころげ落ちる
溝《どぶ》のなかへ
厠《かわや》のなかへ
未来永劫、空位は王の座である

いかにアテナイが陥落しようとも
いかに農奴へイロテスが生き残ろうとも
スパルタは存続できないであろう
頭上を旋回する禿鷹よ

ハドリアヌスも
蛮族でさえも
スパルタの存続を渇望したのだ
あの大地
腕を切り落とされ
首をかき切られ
ごぼごぼいう喉の血で窒息した兵士が
一面のヒースに顔を埋めたあの荒野
花の匂いを嗅ぎ
喜びいさんで
図面を引かれた偽の至聖所
あれらの列柱のあいだで
襤褸《ぼろ》でつくった深紅の垂れ幕みたいに
随喜の深淵に落ちていった無数の死者たち
予言者たちは
顔を曇らせる
荒廃した
ゴミの舞う町はずれで

冬の大熊座はカサカサ音をたて
地平線を一周する
かつてカエサルの見た空
くだらぬ芝居かもしれぬ
小枝が折れる音がする
歴史を寝取られた間抜けどもがいる
俺たちは昼も夜も広場をうろつき
けっして働かないだろう

おお、穢れた血の色をした樹液よ、朝よ
いかにマルクス・アウレリウスの声音をまねようとも
またいかに彼の叡智をまねようとも
そんなものはスカンクの屁にも値しない
エリュシオンの野に悪臭が満ちるだけだ
やりきれない歳月、千三百年の徒労の日々
血が流れたのは
青髯の家だけではなかった
神は歴史ではなく

歴史は神ではない
神々はいつも居留守の番人にすぎない
竃の上で魔女の鼎《かなえ》がぐつぐつ湯気をたてるにも
もはや手遅れなのだ
裏切りはあったのか
時を追い越せ
追い払われたエリニュス
復讐の女神たちよ
真鍮の爪は研がれていたのか
すべての復讐はどこへ向かうのか
ここでもないし
どこでもない
民主主義は
奴隷の民主主義である
畸形の熱狂は
神々への供物ではない
惑星は誘惑などされはしない
俺たちはけっして働かないだろう

あれよあれよという間に
民族は歴史の夢から締め出される
痩せ衰えた亡霊たちよ
それが民の無数の白昼夢だったのだ

神殿の瓦礫には風の音がわだかまり
うずくまる
老人がうずくまる
こいつが悪魔の化身だ
円柱は折れ、粉々になる
大理石は汗をかき
汗をかき
うっすらと血のミルトの汗をかき
切り落とされた手が震え
塩の柱が崩れる
神々の像は八つに割れる
かけらの断面からは奇怪な顔が生え
昨日の朝露のように

陽の光に溶けてしまうだろう
ゴエティアの書に記されていた悪魔の祖先よ
夜になれば
淫靡な仕事を始めねばならぬ
そこはオアシスなのか
地底のオフィスなのか
俺たちはけっして働かないだろう
腐った食糧が
悪臭のする古い血が
青い鼻汁が
唾が
汚物が
糞尿が
穴のなかに投げ込まれる
詩人が追い出されたのではない
そこから出て行くのは
テレンティウスの喜劇を演じるあの役者どもだ
むこうに霞む砂漠よ、涸れた井戸よ

小石が舞い上がる
神殿は砂と泥に埋もれて
とっくに跡形もない

パラティヌスの丘には
ネロの亡霊などはじめからいない
骨だけになった死骸もないし
猫も死んではいない
だが歴史は歴史が過ぎ去らないことを予見するだろう
そう言い張ったのは
神々だ
すべての予兆は
破壊されたおびただしい彫像のかけらである
かけらを操るコンスタンティヌス
世界の首はどこにある
玉座の上にはぺんぺん草が生えている
気持ちのいい風が吹いている
緋色の蛮族たちよ

迷信をたずさえて
君たちはここまでやって来たのか
寂しい八岐の園までは
そう遠くはない
おお、残骸よ
もうカラカラの浴場が血に染まることはないだろう
血のあぶくを水たまりに映る空のなかに見たからといって
民は何ひとつ感謝しないだろう
汚れたティベリス河が滔々と流れている
それが何だというのか
ヘドロのなかには何があるのか
俺たちはけっして働かないだろう
血潮のなかに溺れなば
我はいかに強からん
強大なのはそんなものではない
ミネルヴァの神殿は
夕暮れにしか開かない
見えるのは葡萄畑だけだ

珍妙な祭礼があった
裸体の若者がいた
生贄は無駄だった
ユピテルの月までは生き長らえないだろう

# I　実在

# 優れた作家は上手く破綻する

## ロベール・パンジェ

ヌーヴォー・ロマンと称せられる一連の作家たちがいたが、流派などといっても、芸術の流派というものはすべからくあからさまにいずれ消滅するべきであって、そもそもひとくくりにできるような作家や芸術家などどこを見回そうとひとりもいない。流派など文学史の肥溜めのなかに沈んでやがて見えなくなるはずである。

ヌーヴォー・ロマンのなかでも群を抜いて変わったロベール・パンジェという作家がいる。考えていることも、書くことへの姿勢も、資質も、文章の感覚も、作品自体も、何もかもが他とはまったく違うのである。彼は芸術全般にとっても彼の母国語にとっても真の異邦人である。芸術にとってさえ、異邦人には敵の相貌があるらしいが、異邦人は敵ではない。ただパンジェの作品にはとてつもない孤独がある。アルベルト・ジャコメッティは「孤独というのは心理的なことではない。こいつは手の施しようがない。孤独は空間のなかに実在しているのだ」と言ったが、そのような意味での孤独である。本来の作家の方位地点はこのような心証をめぐって急旋回を遂げることがある。そうであれば、書くことそれ自体の組成において他の作品とは似ても似つかぬ突発的、突然変異的作品、つまり実際そうでなくても結局は伝統の流れの埒外で書かれたようにしか見えないことは、優れた作家であることの証しである。パンジェは、ヌーヴォー・ロマンの代表格のような作家であるロブ＝グリエのような人たちと、こじつけでしかない言うところの類縁性にもかかわらず、どこか決定的に違うところがあるのではないかと前々から思っていた。ロベール・パンジェの『パッサカリア』（堀千晶訳、水声社、二〇二一年）を読んで、あらためてそれがわかった気がする。

私は自分の肉体のなかで自分を無に帰せしめたい、その生身の肉体のなかに消えたままでいたいと願うことがある。健康とは病気になることを含めてそのようなものであると考えていた。健康とは何かの完遂であり、成功であるのか。それとも何かが人生からすっきり消去されるのか。いずれにせよ生きているというこの微細な状態は、精神の健康ともども健康という観念では完全にとらえることができそうにない。自分の胸に手を当ててみればいい。それに第一、健康なときでも、私は苦痛を覚えるではないか。この苦痛はどこからやって来るのだろう。

それでも病気の状態を「成功」させることができる、と未知の誰かが言っている。恒常的なものが恒常的でなくなることがある。健康の破綻をうまく手なずけ、新しい生き方に変え、それを成功させるのである。健康が破綻したのだから、彼は精神の生においても破綻したのだろうか。

そうかもしれないし、そうでないかもしれない。この問いはいつも宙ぶらりんのままである。芸術は精神の生と無関係ではありえないが、そのことによって芸術はさまざまな意味ですでに已れの瓦解の可能性を含んでいる。しかし芸術といえども、それほどやわなものではない。芸術の出かかった秘密のしっぽは、かなりうさん臭いものであるとはいえ、その先端の問いにも触れていなければならない。答えをひと言で示すのは困難であるが、この本でその一端を示すことができればと考えている。

私の見るところ、優れた作家たちは彼らのエクリチュールにおいて巧みに破綻し、心地よく「失敗」を喫したのである。この失敗は歴史的であることもあるが、芸術的観点からすれば、たぶん表現の質としての失敗とはかぎらない。表現については、やってみなければわからないところがある。もっとも表現者である彼らの人生はすでにその具体性において破綻している場合があるが、そのことをここで問う必要はあまりないだろう。いつの時代も新しい表現の方法はそのつど出つくした感があるし、我々はいつもそのように感じてきた。そのことは芸術の絶えざる崩壊の前段階を示していた。そしてその感情的負荷はたぶん時代の思い上がりがもたらす錯覚なのだろうが、いまのような画一的な時代であれば、その感は日々強くならざるを得ない。そうであれば、この「エクリチュールの破綻」はなおさらひとりの作家として目指すべき理想的境地ではないか。死後になってやっと認められるような優れた作家がいるが、それは彼の作品の真髄を示す作家としての「破綻」を同時代の人たちには実感としてさえ感じられず、理解できなかったからにすぎない。芸術は実感を含んでいるが、それだけで成立するわけではない。通りいっぺんの実感であればなおさらである。何も感じられないし、何も読み取れないし、わかるわけがないのだ。

訳者堀千晶の解説にあるように、アイルランド出身の作家サミュエル・ベケットが言うとおり、「上手く破綻すること」ができればどんなにいいだろう（パンジェはベケットに近い作家であったことがわかる）。言うまでもなく巧みな破綻はひとつの極限である。これはエクリチュール、書くということの本質に関わっているはずである。彼は毎日書いている。それが作家の日常をつくり出す。それなりに破綻することはたしかにいつでも可能であろう。いや、破綻するだけでは駄目だ。上手に歌う必要はないが、この歌においてできるだけ巧みに破綻しなければならない。

したがって「破綻」は音楽的事態でもある。パンジェの作品には、訳者解説の周到な指摘どおり、この『パッサカリア』におけるバッハ効果のようにつねに音楽的「変奏」があるのだが、それがいつもパンジェにとって小説の主眼のひとつとなっている。それは地の文があって補助線のように別のメロディが奏でられるというのではなく、文と文がかなり厳密な対位法を形づくっていて、これが絶妙なリズムと全体の意味と風合いを生み出している。しかし調和だけがあるのではない。『パッサカリア』の音楽的調和もまた破綻しているし、どんな調和もいつか破綻するときが来るのは必定である。そもそも対位法は必ずしも垂直のハーモニーの追及だけで事足れりとするわけではないし、水平方向の成り行き上、不協音が顕れ、垂直と水平の構造は互いの音を聞こえざる主旋律の一種のズレとして否定し合いもする。そしてこの構造全体はリズムによって文えられ保たれる。したがって、バッハの音楽は音楽空間における数学的神秘を示してもいるとも言えるのだから、バッハ以降にいる我々にとっては、対位法における「数学」は別の次元の異なる数学をあくまでも新しい感覚的所与として前提せざるを得なくなる。

ストラヴィンスキーに直接影響を与えた十六世紀の作曲家カルロ・ジェズアルドのような音楽を聴いてみればそれは一目瞭然である。ジェズアルドの半音階は後期ルネサンス期にすでになされていたのだからそれはそれで特筆すべきことであるし、その音色は後期のいくつかの「マドリガーレ」をはじめとしてかなり気持ち悪いものであり、奇妙な転調や複雑なリズムが与える感覚的所与として、見事にも音楽的感性の袋小路をすでに示していた。そして同時にその技法は、不確定ながら、音楽における新しい感覚的数学を提示していたのだと私には思われる。細部において当時こんな音楽的試みはなかった。しかし私的な印象を言えば、いくらジェズアルドが晦渋な技法を使おうとも、それはまだ音階や旋律の袋小路にとどまっていた感がある。当時の音楽にしては、ジェズアルドの音楽には中心がない。彼のマドリガルには致命的にそれがなかったが、それでいて中心を求めていた。彼の音楽は感性において破綻しているのに、音楽家として感情的な破綻を逃れようとしているかのように聞こえるのだ。悪名高いジェズアルドは妻とその愛人をナポリの館で惨殺したことでも知られているが（そこは後にフリーメーソンと噂されたサンセヴェーロ公ライムンドの礼拝堂となった）、歌曲の歌詞がいくら彼の暗い悔恨と懺悔を示していようと、彼の音楽的未来を見据えればまだ精神の袋小路に行き着いていなかったのではないか。たとえそこが後に悪魔の礼拝堂となったとしても、彼は鬱々として教会の示唆する罪の音楽のなかにとどまろうとした。ジェズアルドの行ったいくつかの犯罪的行為ともども、音楽の破綻にとってこれは余談と片づけて済ますわけにはいかないことである。

ところで、ハーモニーの構造には必ず不確定要素があり（ハーモニーもまたピタゴラス派の「天界の音」だけで成り立っているわけではなく、地上の雑音も混じっている）、その構造は感性の次元においてさえやがて以前の状態を維持できなくなる。パンジェが小説『マウまたは素材』で言うように「予備の音階の代わりになるもの」が現れる。誰もはっきりとは耳にしなかった、あるいは気管支炎の咳のようなかすかな雑音。シェーンベルク以降、音に関して我々の脳はいまや雑音でできた電波の混線のなかにあることは自明である。「音階の代わりになるもの」が重要性を増すだろう。十九世紀後半以降、音楽を含めたあらゆる芸術が一度ならずその洗礼を受けたのはむべなるかなである。メロディーが、つまりひとたび芸術の感情が否定されたのだから、この洗礼は言うまでもなく芸術の歴史をあらためて破綻させるものであった。

音楽しかり、美術しかり、映画しかり、その他の芸術しかりである。そして音楽の歴史に発展というものがあったのだとすれば、それもまた進化ではなく紛れもない「破綻」であった。この破綻を新しい感覚と感じる者がいた。我々はその破綻を聴き、その新しい感覚を愛したのだった。しかもそれは西洋的な芸術についてだけ言えることではない。例えば、最近私が好んで聴いていたもののなかから例を挙げるとすれば、モロッコのジャジューカ音楽などは、それが呪術的であればあるほど、はじめからこの「破綻」を含んでいたと言うことができる。その破綻はたぶん文明の古層にすでにあったのだろうが、その風土的感触はすでに音楽的ですらない。この破綻は西洋的破綻とはまた違うものだろうが、それでも破綻した感性にとってそれはすばらしい音楽、高度な音楽なのである。

ロベール・パンジェに戻ろう。パンジェにおいて特徴的であるいわゆる言葉の遊びはどうなのか。それは技法の戯れなのか。技法の戯れなどブルジョワ的な遊びである。しかし技法とは、何度も破壊しつくされたかに見えようとあらゆる芸術が捨て去ることができそうにないものである。しかも実際には技法は破壊されていない。わかりやすい例を挙げるなら、ドリッピング絵画は一見タブローの構図というものを壊したかに見えたが、しかしそれはまだただの技法であった。ジャクソン・ポロックの場合でさえそうである。その意味では、そう考える私は古典主義者である。いずれにせよパンジェの場合、言葉遊びは言葉への正当なこだわりに端を発するものであるが、必ずしも技法的な戯れではないと思われる節がある。勿論、小説には遊びが必要であるだろうし、パンジェはマックス・ジャコブを敬愛していたそうだから、そんなユーモアの機微から小説全体をつくり上げることもあるだろう。だがそれ以前に、それぞれの小説には生理というものがあって、そもそもそれが作家に言葉自体の分裂と接合を強いたのではないか。これは伝統的観点からすれば小説技法のほぼ完全な破綻を意味する。パンジェの作品に散見される言葉の破格な連なりはたしかに言葉遊びのようにも見えるが、ここではそれは小説の生理の一環であって、レーモン・ルーセルの場合も同じようなことが言えるのではないかと私は思っている。

　パンジェの場合もルーセルの場合も、その文章の動機において、小説全体にとって遊びや技法を超えるやむにやまれぬ知られざる必然性があったのではないだろうか。おまけにルーセルは言葉遊びを駆使した自らの芸術をなぞるように人生においても破綻したのだから事は深刻であった。それは第一に小説全体にとって欠かせない感覚的必然性であり、しかもめぐりめぐって、なんと意味論的必然性であることもある。ルーセルは自分を裏切ることができなかった。つまり作家が書かれつつあるものに忠実であればあるほど、小説自体がそう書かざるを得ない言葉というものを、生まれつつあるかのように見えた言葉の星雲のなかにすでに準備しているのである。どれが事前で事後なのかはわからない。この準備されていたかもしれない言葉は読者によってまだ読まれる以前のものである。言葉遊びはその一部であり、そんなすべてが小説の生理である。この生理が倒錯的に見えることがあるのは、それが作家を目的もなくあまりにも遠くまで引きずっていくためである。どうしてそんなことになるのか自分でも訳がわからないのだ。かくしてどんな文章にもそこで使われる言葉そのものによって確信的に確定的に「破綻」をうながす流れがあるということになる。

　誰が語っているのだろう？　物語のなかに誰がいるのか？　最近では、少なくともほんとうの意味で破綻した言葉を語る者はいないように思えるではないか。だが、それはまだ小説の物語内にいる登場人物の次元でのことである。それにしても、小説に登場人物などそもそも必要なのだろうか。そんな風に前々から思っていた。パンジェの作品を読むとますますそう思えてくるのだが、少なくともプロットにとってさえ判明な登場人物など要らないのではないか。何らかの感覚的与件をもたらさない登場人物などただの小説の穀潰《ごくつぶ》しである。このこと自体は小説の伝統、文章の剽窃的伝統、一家の伝統から考えても、喜ばしくも破綻を促すものでしかない。すべてのパスティッシュはその観念の成立においてすでに破綻しているが、パスティッシュが新たな感覚世界を示しているなら話は別である。言葉自体がそのように出来ているからだ。

しかし内的な破綻を促さない小説、つまり普通に我々が小説芸術と呼び、そうだと思い込んでいるものは、破綻した我々にほんとうの意味で読まれることはないだろう。このような小説芸術は私がここで述べているのと正反対の意味で「敗残」を喫していて、平凡な失策の賜《たまもの》である。思い返すなら、我々はとにかく読むべきものを探していたはずであった。『ドン・キホーテ』を書くことになったセルヴァンテスは、紙に何かが書かれていれば拾ってでも読んだそうだが、我々には『ドン・キホーテ』だけで十分であり、あえて拾って退屈なものを読む時間はない。拾ってでも読むことに効用があるといっても、無理は禁物である。あれこれ知識を詰め込む必要はないのだ。

一般的に言えば、通常の小説的感覚のインフレーションというものがある。幾何学的精神をもつ我々といえども、どこまでも繊細でなければならないのだが、芸術的感覚についてもそうだということはあまりにも忘れられている。今では芸術は繊細を要求しないとでも言うかのようである。そうであれば、つまり我々がインフレのなかにいるのであれば、アルベルト・ジャコメッティの彫刻芸術のように、つくられつつある、読まれつつある作品から差し引かなければならないものがあるのではないか。引き算。それが急務であろう。時間がないのだから、とにかく急がねばならない。そこでやるべきなのはたいていの場合、したがって引き算である。パンジェのように引き算を極限まで推し進めるなら、登場人物はもとより、モチーフですらどうでもいいのである。

ロベール・パンジェの『パッサカリア』において次々と入れ替わる登場人物は、すでに普通の意味での小説の登場人物であることをやめているが、それでもこの小説の真髄というか魂の在処を示していると思われた。この点はきわめて重要であるし、パンジェという作家の真骨頂と稀少性を示して余りある。その在処は小説の内と外で同時に創造されたものであるが、たぶん作者の意図とは無関係にである。『パッサカリア』の登場人物たちは、誰が誰なのか解らないという点ですでに破格であるが、かくしてそれらしい中身がないからこそそれは魂の在処を示すものとなるのだ。もっとも魂の在処がなければそもそも作品は成立しないし、我々がそれを読むこともないだろう。これらの登場人物たちは、パスカルの言う「いたるところにある中心」であり、そのことによって登場人物たちの位置は作品から差し引かれてしまう、という不思議な現象が起きている。ここでの引き算は真髄を残すためであり、逆に過剰であれば、その過剰さもまたそれを決定づけるものでなければならない。どこにもないか、いたるところにある中心が残像のように残されているなら、引き算と足し算は矛盾しないのだ。

「機械がどこかこわれている」。パンジェはこの小説のなかで幾度かそう繰り返す。機械が壊れる。それが真実である。世界はその周りをまわっているが、我々もそれにうすうす気づいている。壊れた機械。壊れた永久機械。小説もこの壊れた機械にほかならない。それなら語り手だって読者だってその場で壊れてしまうだろうし、それは当然のことである。我々が世界のなかにいることはわかっている。でも機械が何となく壊れてしまっているのがわかる。こうしてさまざまな強迫観念が一種の真理となるときがやって来る。無数の強迫観念が先にあって、我々はその素材である。そしてパンジェの筆先から現れたこれらの強迫的幽霊たちは小説世界のみならず我々のいる世界をまるごと引きずって行く。どこへだろうか？　ジェズアルドの館のように陰惨な現場の方へ？　アッシャー家の方へ？　崩壊に向かって？　必ずしもそうではないかもしれない。ともあれ、引きずられているのは世界のほうであるし、我々自身であって、我々はとにかくこれらの幽霊たちにそっくりなのである。我々は読者であるし、目の前に置かれた小説によるなら、我々のいる現実はそのように出来ているのだから仕方がない。小説を読むとはそういうことである。登場人物はいなくてもいいのだから、たまたま顔をのぞかせる登場人物がどうなるかはもはや読者次第である。その機微は、作家の側から言えば、パンジェの場合、ほとんど名人芸に近いのではないか。パンジェという作家は今度こそ明らかにそれを意図していたのだということがわかる。ここでも巧みに語るということは巧みに破綻することなのである。

蛇足だが、日本の小説家はどうなのだろう。例えば、他に考えられるのはごく少数だろうが、パンジェとは似ても似つかぬ代表格である泉鏡花のような作家は？　鏡花もまたその天才的な文章表現において、誰にも真似のできないその名人芸によって巧みに破綻していると私は思うのである。

# 晩年様式について

「晩年様式」もまた「破綻」の一形態である。

アドルノは炯眼にもベートーヴェンの「晩年様式」を指摘する。日頃から心酔するほどベートーヴェンを聴いてはいないが、私にとってハ長調で始まるベートーヴェン晩年の『ディアベリ変奏曲』はずっと不可解な作品だった。中期の『運命』に代表される音群とは、意図および音の感情的発露のわかりにくさにおいて、その表現性の欠如において、趣をまったく異とすることはすでに知られている。アドルノはベートーヴェンの「晩年様式」はずたずたであると述べる。まだそれが成長の過程にあったとしても、形式における成長の跡、その成果は埒外にあったし、調和はかえりみられない。そんなことは当時のベートーヴェンの耳にとって関心の外だった。

『ディアベリ変奏曲』を聴くと、理論と表現効果においてまだ何の類縁性も示していなかったとはいえ、十九世紀末から二十世紀前半にかけての崩壊一歩手前の音楽を想起してしまう。その理由を学術的に詳《つまび》らかにすることは私には無理だが、『ディアベリ変奏曲』はその意味で難解である。この難解さはアドルノの言うベートーヴェンの「発展的変奏」の秘密を明かしているのかもしれない。発展するものは最後に行き止まるか、自分を破壊するしかない。進歩があり得るとすれば、きわめて短いセリーにおいてでしかない。晩年の交響曲第九番にはまだ英雄的特徴というかその名残りがあるが、『ディアベリ変奏曲』や『弦楽四重奏曲第十四番』においてベートーヴェン特有の英雄的なものは完全に消えている。それはアドルノの言う「否定」の挙措であり、この否定はしかし音楽の歴史のなかにあったのであって、調性はやがて崩れ去る運命にあることがはっきりと予感される。ベートーヴェンは、時代のなかで、ぎりぎりまで持ち堪えていたが、事ここに至って、当時の音楽のエンターテインメントをすでに足蹴《あしげ》にしていたのである。ベートーヴェンはいっときここことは別の世界の住人になりかかっていたか、全聾の世界のなかで別の生を生きようとしていたのかもしれない。それは最後の生を示していたが、終わりつつあった何かではなかった。

『ディアベリ変奏曲』や『弦楽四重奏曲第十四番』の難解さは主観的喚起力の放棄ゆえのことだろう。その主観的喚起力がいかに意図せざるまま聴衆をまだ捉え続けていたとしても、この時期のベートーヴェンは音楽の古典的クリシェの行く末とは完全に違う次元を、その全聾性において（楽譜の機能についてならそう言える）、あるいはその人工性において（フーガは、対位する形式は、その通過点であった）考えていた。表現の常套手段の完全な否定は、技術的技巧的な、老練な巧みさを、まさに老練であるが故に、それを完全に破壊することなく別の次元にまでワープさせてしまう。最終的に巧みさが消えたのではないが、意匠がさまざまに変化したのはたぶんその前である。さすが耳の良かったマルセル・プルーストは『弦楽四重奏曲』(十二番〜十五番)におけるベートヴェンの天才について『失われた時を求めて』の「花咲く乙女たちの影に」の巻(『失われた時を求めて』3、吉川一義訳、岩波文庫、二二九頁)で言及してしている。

たしかに古典主義とその否定は複雑な問題を孕んでいるが、音楽は必然的にその難聴性のなかにあった。たとえ耳がよかったとしても、後の幾人かの音楽家はベートーヴェンと同じように難聴になるしかなかったのだ。そのためには言うところの伝統的解決とは違う次元に出てゆかねばならない。それが音楽の心地よい危機へと至ったのである。そしてこの音楽の危機はごく少数の者の耳にしか届かないかもしれない。しかしかくいう難聴性は音楽だけに限られることではない。

十八世紀から十九世紀にかけてのフランスの作家シャートーブリアンの最後の作品『ランセの生涯』もまた「晩年様式」あるいは「老人形式」である。ここにもまた小説におけるベートヴェン的難聴性がある。『ランセの生涯』に思いを馳せると、哲学者ジル・ドゥルーズの最後の論文「内在性——ひとつの生……」(ジル・ドゥルーズ『狂人の二つの体制』所収、小沢秋広訳、河出書房新社、二〇〇四年)をフランスの雑誌で最初に読んだときのことをいつも思い出してしまう。そうではないのに、ドゥルーズが『ランセの生涯』の前代未聞の簡潔さについて書いたのだと錯覚してしまうほどであった。ともに文字どおり最後のエクリチュール、最後の文章となるこれら二つの作品はとてもよく似ているとしか私には思えなかった。たとえひとつの生の終焉のなかに主観性の問題がまだ残存しているにしても、主観と内在性がいかに異なるものであるかは明白であるのに、実際には誰の目にも必ずしも明瞭ではない。だがドゥルーズはその論文でそれを鮮やかに論証した。しかもドゥルーズ自身、唖然とするほどそっ気ない言葉でそれを書いたのである。

主体でも客体でもないものは「超越論的領野」にある。内在は超越論的なものによって規定され、超越はつねに内在によって生み出される、とドゥルーズは言う。超越を生み出す内在は生のある時点で「晩年様式」を規定し、限定する。今まで知られなかった内在的な出来事があるのだ。それは最後に現れたとでもいうのだろうか。一瞬、それが目の端に瞥見《べっけん》されるだけであっても、この荒野には見たことがない風景が広がっているかもしれない。意識の問題ではない。普遍的な死はない。死の倫理はない。「晩年様式」はこんな風にして荒々しいものとなるかもしれない。ひとつの生があり、それはこの奇妙な内在のなかで終わるのである。

飛び石を飛び越えるように、ドゥルーズの達したこれほどの簡潔さ。達したなどと言うのは言い過ぎかもしれない。これは時間的な比喩であって、同時にそうではない。勿論、この簡潔さは、簡潔さのバロックと呼んでもかまわないような複雑さをその類型自体を形づくる要素としているのだろうし、それがこれほどの現れ方をするには、簡潔さの裏地が複雑に縫い取られていることくらい簡単に想像がつくというものである。だがこの簡潔さは複雑さのなかにあるのではないし、また複雑さのなかにある、もしくは複雑さそのものの有する要約でも概略でも切り取りでも、あるいは一致でも統合でもない。ドゥルーズが、「絶対的内在性はそれ自体のうちにある。何かのなかや、何か〈に〉あるのではない、それはひとつの客体に依存しないし、ひとつの主体に帰属しない。スピノザにおいては、内在性は実体〈に〉あるのではなく、実体と諸様態が内在性のなかにあるのだ」（前掲書）とこの論文のなかで述べているように、複雑さ、複雑さを形づくる諸様態のほうこそがこの簡潔さのなかにある、そうとしか言えないのである。

だから私にはこの論文、これらの文章全体がひとつの内在性のように見えてこざるを得なかった。おまけにドゥルーズはその内在性を「ひとつの生」と呼ぶのである。これはまったき秘密の開示である。哲学者が秘密をあっけらかんとして開陳してみせる。この秘密は醸成されたものなのだろうか。それとも火山の噴石のように最後に落ちてきたものなのか。何という勇気だろう。いや、勇気が重要なのではない。おまけにこの秘密は名だたる哲学者がそれを書いたということにとどまらず、誰にも解けていない謎そのものの方程式の一端であり全体なのだから、ドゥルーズにはドゥルーズ自身にとってすらひとつの謎が残されたのである。

文は内在性である。ひとつの生は内在性である。文はひとつの生であり、ひとつの生のなかにあるのではなく、文の諸様態のほうがひとつの生を含んでいる。そんなことはしばしば起こることではない。その意味では、これらの文章は、あらゆる文章の意味の上位にあるひとつのまとまり、単一性、統一性としての何らかのもの、何らかの客体にも、それをドゥルーズと呼ぶにしろそうでないにしろ、ここで語られた事物の綜合を行うかのような、あるいはすでに行ったと見なされる行為としてのひとつの主体にも、送り返すことはできないのだと言いたくなる。誰が書いているのか。ひとつの生である。何が語っているのか。ひとつの生である。最晩年のドゥルーズが書いているということは確かながら、そのこと自体を超出してしまうもの、そのこと自体から結局はズレてしまうもの……。静かな不一致、衝突、不和、軋轢、乖離、分離……がおのずから自らのうちで起こり、しかもそれは一種の「至福」を示して余りある。

ドゥルーズはこの内在性をわざわざ「ひとつの生 UNE VIE」と大文字で書いている。ひとつの内在性が、小文字のただのひとつの生とはニュアンスを異としながらも、事物の位階においてもカテゴリーにおいても同じものであって、価値としてもたぶん似たようなものでありながら、しかしただのひとつの生とは呼んでしまうこともまたできないような、諸々の個体的な本質とは異なる「ひとつの生」であるとすれば、この大文字は、それが「生活」にも、経験を前提とした「個体的な生」にも、生物学的な「生命」にもそのまま送り返すことはできないということを含意するのだろう。大文字の「ひとつの生」はひとつの「絶対」である。

だが、ここでは否定を重ねることでしか、まるで偶然のように不定冠詞を冠せられたこの「ひとつの生」を具体的に定義できないというのだろうか。生活から洩れ出す生活であり、個体的な生を逸脱する個体的な本質、つまるところが特異な本質、すなわちひとつの特異性であり、生命を超出する前・後生命的なものがあるのだろうか。勿論、言うまでもない、あるのだ。純粋な内在性。「それは生への内在ではなく、いかなるもののうちにもない生に内在するものが、それ自体ひとつの生なのである。ひとつの生とは内在の内在、絶対的な内在性である。それは力能、完全なる至福である」。あえて再び強調しておくが、それは私の至福をもかすめていて、ドゥルーズのこの論文のなかで結論めいたことはこの一節だけにあるのではないかとすら思えてしまう。そしてこの至福は「傷」をも先在させるのである。

この論文で通りすがりに参照されている哲学者は、ベルクソン、サルトル、フィヒテ、スピノザ、メーヌ・ド・ビラン、フッサールだけである。ベルクソンとサルトルとフッサールは主に超越論的な場と意識の関わりにおいて引き合いに出されていて、しかも意識など、意識されたものなど、ひとつの生にとって何ほどのものでもないと言うためである。世界は誰もが知っているように、主体と客体からつくり出されているのではなく、あえて言うなら、問題となっているのは超越論的経験論というほかはない事実であると言うためである。「超越論的な場と意識の関係は単に権利上のものである。意識がひとつの事実となるのは、ただひとつの主体がその客体と同時に産出され、両者が場の外にあり、〈超越的なもの〉のように現れる場合だけである。反対に、意識が、いたるところに拡散する無限の速度で超越論的な場を横切る限り、意識を明らかにすることができるものは何もない」、ドゥルーズはそんな風に釘を刺している。

そういうわけであるから、ここで肯定的に引き合いに出されている哲学者はスピノザとフィヒテとメーヌ・ド・ビランくらいである。スピノザはいいとして、フィヒテとメーヌ・ド・ビラン？ドゥルーズを読んできた読者にとって、これには啞然とさせられるのではないか。だからといって文学その他が問題になっているわけではないが、これはもはや哲学など、哲学史のなかにある哲学などどうでもいいと最後に言うためではないのか。意識のもつ生理や、その危機的具体性を精査せずに、意識がどうだこうだと言ってきたのは哲学である。

この論文が『哲学』という雑誌に発表されたのは、一九九五年九月のはじめである。ドゥルーズが窓から身を投げたのは同じ年の十一月四日だったのだから、私がこの文章を読んだのはその死のひと月くらい前ということになるだろう。私がこのエッセイを書いているのはそのずっと後であるから、すでにドゥルーズの自殺の報を知っていてそんなすべてを承知した上であるのだし、こんな風に書くと嘘みたいに思えるかもしれないが、最初にこの文章を読んだとき、ドゥルーズはもう死ぬだろうと思ったのも確かである。死ぬという言い方は強すぎるかもしれないが、このような論文が書けるのは、勿論このような論文を書いた人は他にいないのだが、ひとつの生がその終局を迎えたからである、と。この文章がだから遺言のように見えても致し方ないのだ、と。でも遺書であるかどうかは別段とりたてて言うほどのことではないかもしれない。この期《ご》に及んで、ドゥルーズが後世の者たちにあえて何かを伝えようとしたともまた思えないからである。それよりも、どこかで、いつか、ひとつの生が終わった……。我々はそれを読むことになった。しかもそれをすぐれた哲学者が書いた……。それだけで十分である。言うまでもなく私は、ここで、この論文の内容と彼の自殺をむすびつけて嘆いてみせたり、神妙になったりしているのではない。私は哲学者に対しても哲学に対しても何の信仰ももたないのであるし、したがって何の敬虔さももち合わせていないからである。

シャトーブリアンの『ランセの生涯』は、これまた簡潔な言葉で綴られるほかはなかったような小説である。小説による小説の放棄というものがあるなら、それを思ってしまう。そのぞんざいさは感動的ですらある。なんて美しい小説だろう。文体の観点からすればそれは破格において難聴的なまでに音楽的であると言っていい。しかもそこにはまさに文体の破綻のようなものがそのまま含まれる。ところどころで突然シャトーブリアンはボケ老人のように別のことを言い始める。しかしそれは脳軟化症のなせる業ではなく、ここでも巧みに破綻が行われているのだ。文は省略され、感情は削られ、説明は省かれ、その乏しさはひとつの新しい詩情を生み出してさえいる。何しろ十九世紀に書かれたのだけれど、それを我々は二十一世紀に感じ取れるのである。この難聴性、この盲目の偶有性、あるいはシャトーブリアン自身が言及する、最後のプッサンのタブローに見られるあの手の震えによる筆の震える跡のような偶有性によって、あるいは目に見えてしまう、あからさまな時間の断絶によって、主題であるランセの人生はいっとき中断され、一瞬の無音の幻惑に襲われるように、読者は小説のページのなかに置き去りされる。これが『ランセの生涯』における難聴性である。そのときシャトーブリアンはすでにフランス・ロマン派ではなかった。

イタリア・ルネサンスの大芸術家ミケランジェロの晩年はどうなのか。若い頃のミケランジェロ特有の自己顕示欲はいざ知らず、『最後の審判』の後ミケランジェロは引きこもりの生活を送っていたようであるが、もともと気難しい人物であったとはいえ、さらなる深淵へと降りていったのだった。ミケランジェロはすでに視力を失っていたが、明らかにミケランジェロにも「晩年様式」があったと考えることができる。遺作である彫刻作品『ロンダニーニのピエタ』連作とローマ時代に製作されたヴァチカンのサン・ピエトロにある『ピエタ』を比べてみればいい。『ロンダニーニのピエタ』は未完であるとも言われているが、私にはそのことはどうでもいい。『ロンダニーニのピエタ』のイエスとマリアはひとつの醜悪とも言える塊である。イエスとマリアは融合している。融合するものはイメージの歴史であり、その感情的な堕落なのだろうか。マニエリスムはこの堕落を示すものとしてあったのだろうか。そうではあるまい。最後のピエタは、結局は抽象的なものに融合することしかできない何らかの悪や崩壊を、歴史が示してきた感情を越える人間の決定的崩壊の悲劇的様相を伝えている。イエスとマリアはそれを最も体現する存在としてある。それだけではない。それ自体が悲劇の過程であろうと、この彫刻はミケランジェロというひとりの芸術家がいかに生きたか、最後にいかに生きようとしたかを示していると考えることができる。私はこのいびつな未完のピエタに感動すら覚える。亡霊のようなイエスとマリア。その醜悪さ、その貧しさは、ルネサンスからマニエリスムへの移行、あるいはゴシック彫刻への逆戻りなどという美術史的出来事をはるかに越えて、ほとんどひとつの狂気である。初期ルネサンスのジョット描くあの峻厳で美しい天使はすでに消えてしまったのである。

ミケランジェロだけではない。後のレンブラント自身の画史における変遷を見ると、似たようなことが言えるだろうが、ボッティチェリの晩年もまた、彼自身のイメージと化したルネサンスのあの「春の謳歌」からあまりにも遠くかけ離れたところへ来てしまった。ルネサンス時代に美術が大きく変化したことは確かだが、しかし晩年になって彼はそんなルネサンス風の人間の春の兆しを完全に否定したように見える。絵がことごとく変化する。大画家自身が変化したのだ。「綺想」が現れる。「晩年様式」である。マニエリスムに近づくかのように風変わりになっていくボッティチェリ。しかし誰もそんなことは言わない。言ってはならない。だが華美であったものは消滅し、彼のルネサンスは遠ざかる。春を謳歌する春の訪れは終わった。時すでに遅しといえども……。

しかもボッティチェリの場合、その変化にははっきりとした思想的刻印があった。メディチ家や教皇を批判して破門され、フィレンツェで焚刑に処せられた僧サヴォナローラをボッティチェリは支持していたのである。それは言うまでもなく危険思想であった。カトリック教会はずっと混乱のなかにあったが、それに芸術家として加わらなければならない。真実を表明しなければならない。ボッティチェリはそう考えたはずだった。どうすればいいのか？　華美な絵を描くのはもうやめだ！　彼は自分の輝かしいキャリア、はてしない自己模倣を捨てるのだ。彼は後期のある絵の銘にこう記している。「私はこの絵をイタリアの混乱のなかで描いたのだ」、と。

人の一生は短い。三歳で死のうが、百歳まで生きようが、短い。旧約聖書の登場人物たちは二百歳以上生きることができた。生まれたことと生まれなかったことは別の事柄であるかもしれないし、我々の一生が短いことに変わりはないが、その一生には幼年しかない場合もあったりする。しかし晩年だけというのはない。幼年もあれば、晩年もある。というか晩年があったのであれば、幼年時代があったことになる。

しかし「晩年様式」は、幼年時代、壮年時代があったことを時間の自然な経過として前提してはいるが、必ずしもそれらに対応してこの様式が生み出されるということではない。つまり円熟とは無縁である。円熟は堕落を意味することがある。すでに円熟していたとしても、ある意味で、この晩年様式において円熟はほぼ意味を失している。円熟は若者にでも可能である。そうではなく作者自身が「晩年様式」を望み、意図するか、もしくは突然変異のようにそれが突発的に現れるのである。そして大方の予想に反して、「晩年様式」は必ずしも万人の鑑賞に耐え得るものではない。サミュエル・ベケットの晩年の作品についてもそのようなことが言えるかもしれない。それは自然に還ることもなく、ある種の境地に達するということでもない。ある種の境地には十代の若者でも簡単に達することができる。

バタイユの「死を前にした歓喜の実践」（ジョルジュ・バタイユ他『無頭人』所収、兼子正勝・中沢信一・鈴木創士訳、現代思潮新社、一九九九年）とまではいかないにしても、こうして「晩年様式」の成立には抽象的な「死」が控えていることが当然ながら前提される。だがこの抽象性は具体的なものになればなるほど「死」を否定するだろう。「死」の予兆、終わりの徴候は新しい範疇をつくり出すことがあるが、そこには万物にとっての死があるということだけではなく、それ以前に死すべきものがすでに死んでいるのである。どのようにしてだろうか。

バタイユは雑誌『無頭人』の最終巻に掲載された「死を前にした歓喜の実践」をこんな風に始めている、

世界が破壊や苦痛をもたらすことなく幸福に自分のうちに反映されるような状況に置かれているときに——例えば、あるうららかな春の朝——、人間は、その結果である陶酔や素朴な喜びに思わず身をまかせるかもしれない。だがそれと同時に、彼はまたこの至福の意味する空虚な平安の重々しさと無駄な心配にも気づくかもしれない。そのとき残酷にも彼のうちに沸き起こるものは、一見穏やかな澄んだ青空のなかで、自分よりも小さな鳥を嚙み殺してしまう猛禽に比肩し得るものだ。彼は仮借のない運動に身をゆだねずには生を完遂できないことに気づくのだが、その暴力が、彼自身の最も閉ざされたところに、彼をたどろがせる厳しさをもって行使されるのを感じるのである。

（……）空の深み、失われた空間は、死を前にした歓喜である。すべては深く割れている。

（『死を前にした歓喜の実践』）

「晩年様式」は深く罅割れている。至福が要求した形式すらもこの亀裂のなかにしか棲まうことができない。そこかしこに広がるこの亀裂からは暴力的なものが発出しているが、たとえ死を前にしていても、それは死の暴力でもないし、「死」そのものでもない。暴力の対極にあるどんな静寂のうちにあってさえ、いかなる生も死によって完遂されないことがわかっているからだ。

「晩年様式」は極限の自由と関わりをもつものでなければならない。形式の残留物でさえこの自由と関わりをもつ。形式は絶対であり、しかもこの絶対は壊乱される。ばらばらに粉砕された形式の断片もまた形式である。「晩年様式」は希望と対比される絶望の謂ではない。「晩年様式」はひとつの強迫である。極限まで駆り立てられなければならないはずの自由は必ずや強迫や脅迫を伴うだろう。調和は古典主義の残滓のなかでさえ破られることになる。人間的喜劇の風合いを残していようと、悲劇的なものがそこにあるのは偶然ではない。それが極限の自由であれば、調停不能、折衝不能、和解不能のものにまで達しなければならないからである。

# 続・晩年様式について

## アントナン・アルトー

繰り返す。晩年様式における極限の自由は調停不能、折衝不能、和解不能である。「晩年様式」は、ひとつの生の経過とそれがあからさまに生み出したかに見えるある種の作業の連なりを前提とせざるを得ないが、拠って立つその生がそもそも類を見ないほど非凡であった場合はどうなのであろう。苛烈でしかない生を、生全般を救済するためであったかのごとく力ずくで送るほかなったアントナン・アルトーのような人物の場合である。たしかにアルトーの場合は稀有な生と言っていいだろう。生政治からはみ出してしまうような生がある。「私はもはや私の肉体であることはできなかった」、演劇人でもあったアルトーがそんな風に、あたかも言葉を使わなかったかのように、言葉を使ってでも手帖に書きつけるとき、その逸脱は実際になされていた。

歴史的であることを越えて、ペストの時代の深い意味を自身のなかで反芻せざるを得ないような生がある。アルトーにとって演劇はペストであった。厄介で、唾棄すべき、時には敵であるこの身体は、そのことを決して忘れないだろう。疫病または疫病に連なるものは身体の内と外で同時に起こっているからである。そこにはむろん生涯にわたる生身のアルトーの、反復され加速された意思、倒立した意志のようなものが見受けられるが、しかしそれは普通我々が意思や意志と呼ぶようなものではあり得なかった。いかに医学その他の介入が取り沙汰されようとも、そこではすでに主体の問題も意識の問題もまったく別の次元にあったからである。

アントナン・アルトーにもまた「晩年様式」と呼べるものがあったように思われる。

まずはアルトーの変遷をざっと見ておこう。シュルレアリスム時代を含む初期の作品『冥府の臍』や『神経の秤』にはすでにアルトーの変わることのない主題の萌芽が見受けられるし、思考の中心的全般的な崩壊を実地に反復しているようなところがあった。この崩壊はアルトーの出発点であった。『ジャック・リヴィエールとの往復書簡』ではこの思考の崩壊とそれによる詩作の不可能、詩（へ）の拒否が明快に説明された。そしてこれら初期の作品にはすでに当時のシュルレアリスムの美学もしくは美的感覚との決定的な違い、断絶があったことは特筆すべきである（例えばパオロ・ウッチェロや北方ルネサンスの画家たちへの愛着などにそれが現れているが、このような傾向によって、アルトーはバルテュスの絵画の最初の発見者となるのである）。そこにはアルトーの古典様式の原型、あるいは原風景からの非乖離と呼べるものが現れている。

その後かねてより役者であったアルトーは演劇へ、生涯にわたって思考し固執した演劇の原型、彼自身の生それ自体と見紛うような「残酷の演劇」の理論化およびその実践へと向かうが、当時の彼の思考は『演劇とその分身』（鈴木創士訳、河出文庫、二〇一九年）や『ヘリオガバルスあるいは戴冠せるアナーキスト』（鈴木創士訳、河出文庫、二〇一六年）に余すところなく述べられている。これら二冊の本の文体の特徴は、それがいかなる難解さを帯びようとあくまで古典的であるという点である。私はこれらの本を翻訳しながら、たえずそのことを考えざるを得なかった。麻薬の影響はおおよそ感じられず、アルトーの明晰さにはいかなる点でも瑕瑾はない。

続いて長い精神病院監禁の時期を挟んで晩年へと至る時期が訪れる。監禁時代（とりわけロデーズの精神病院時代。その直前の監禁時期には書くこともままならなかった）のノートや書簡には、錯乱とも見紛うようなめまぐるしい宗教的変遷や、監禁以前から始まる（『タラウマラ』（宇野邦一訳、河出文庫、二〇一七年）に結実した人類学的時期とも呼ぶことのできるメキシコへの旅の後、事件となったアイルランドの旅へと至る期間）オカルト的狂騒と呼べる状態が散見されるが、その状態もまた、晩年へ向かって徐々に生の透徹せる激発のような「否定性」へと収斂していくのである。

アルトーは、身体の外で起きていた第二次大戦と並走するかのような九年間にわたる監禁の後、精神病院から解放される。その後全身癌を患っていたアルトーは二年足らずの比較的自由な時間を生きることになるが、この最後の短い歳月は驚くべき多産な時期であった。先に述べたように、まず監禁時代から手帖に鉛筆で書き継がれた「ロデーズ手帖」と称される雑多な文章や奇体なデッサンからなる膨大な頁がある（比較的まとまったノートは『アルトー後期集成　Ⅲ』、荒井潔・佐々木泰幸訳、河出書房新社、二〇〇七年で読むことができる）。

例えば、

いや、私は眠っていなかった。
食べない術を知るために純潔でなければならなかった。
口を開くこと
それは病気に身をさし出すことだ。
だから口はなしだ！
口はなし
舌はなし
歯はなし
咽頭はなし
食道はなし
胃はなし
腹はなし
肛門はなしだ。

私は私である人間をつくり直すだろう。

……………………

そして忌まわしいお前はやめたのだ
自分のぴんこをカビ臭くすることを
自分のばんこをごふごふすることを
自分のむんこをまた感じることを
自分のふんこをじりじりすることを
自分のくらんこを引っこめることを
自分のひんこをどろどろすることを。

本当の身体の中にある存在などない。

（このような引用は延々と続けることができるが、ここではやめておく。）

これらのノートにおいて、かつてのアルトーの古典主義は完全に放棄される。言語は拷問にかけられ、ハンマーでばらばらにされ、変形され、解体される。絶叫がほとばしり、不吉な彗星のごとく脳髄の闇を駆け抜け、鳥もちのようなグロッソラリー（舌語）が暗い空にはりついている。激しい苦痛を伴ったアルトーの思考はすでに新たな段階（最終段階）に突入していたのである。これらの言葉が我々の眼前にそのまま提示されたとき、アルトーは狂ってしまったと多くの者が考えたが、実際に起きていたのはまったく別の事態であった。当時のアルトーをよく知る作家アンリ・トマや詩人アンリ・ピシェットなどが後に行った証言からもそのことは明らかである。かりに病理学的意味における狂気の淵にアルトーがいたとすれば、私の想像でしかないが、この監禁時期の初期だけだったろう。しかし精神分裂症者、迫害妄想患者と診断された者がそんな短期間に明晰な文章が書けるようになり、臨床的な通例を破って、何の治療も施されないまま突然治癒したりするのだろうか。アルトーを監禁し、診断を下し、電気ショックにかけた精神医学は、困難な時期の業務であったとはいえ、結局のところ無力であり、何もできないどころか、何もわかっていなかったということになるのである。

そしてその二年足らずの間にアルトーは次々に本を物する。先に言った明晰な文章とはこれらの「書物」のことである。「アルトー・ル・モモ」（『アルトー後期集成Ⅰ』所収、岡本健訳、河出書房新社、二〇〇七年）、「神の裁きと訣別するため」（『神の裁きと訣別するため』所収、宇野邦一訳、河出文庫、二〇〇六年）、「ヴァン・ゴッホ　社会による自殺者」（同右所収、鈴木創士訳）であり、アルトー自身が最後に書物として構想した『手先と責苦』（『アルトー後期集成Ⅱ』、管啓次郎・大原宣久訳、河出書房新社、二〇一六年）である。これらの本を読むと、「ロデーズ手帖」に見られた、言語に加えられたあからさまな生の実体験の断片だけとは違う次元が表れているのがわかる。そこに見られるのは、断片的であってもアルトー独特の「様式」、あるいはその集積であり、死闘によって生み出された言葉の「全体性」のようなものである。かつて彼本人がそう書いたように、ばらばらになった身体はもう一度寄り集まって彼自身と化すのである。最後に編み出された独自の様式であり、これを私はアルトーの「晩年様式」と考える。しかしこの様式は、アルトーの場合、角度を変えれば、彼の生のむきだしのひりつくような断層をそのまま形づくるものであり、他の「晩年様式」と同様、同時に形式としての何らかの発展のなかにあったものでは決してない。

直前の「ロデーズ手帖」に散見されたアルトーの言葉のまったく新しい次元はそのまま維持されているが、アルトーの明晰さにはさらに拍車がかかっていた。例えば、『ヴァン・ゴッホ　社会による自殺者』はそのような本であったと考えることができる。構文はぎりぎりのところで保たれ、新しいスタイルと言えるものを生み出している。どのように書くのか、狂人と呼ばれ蔑まれたヴァン・ゴッホ自身の『手紙』の言葉のように、的確に、そして美しく書くことができるのか、君たちに書けるならやってみたまえ、とまでアルトーは読者に迫る。

そしてラジオ・ドラマ『神の裁きと訣別するため』自体が「残酷演劇」の最後の試みであったとはいえ、この本と『手先と責苦』には、すでにアルトーが長年にわたってそれをやってきたような、通常の分節言語による演劇を乗り越えようとする演劇、そのような意味においては新たに演劇的とも言える形式をすら見ることができるように思われる。これは名づけようのない「書物」の体裁をとってはいるが、アルトーによる戯曲、あるいは一種のオペラであり、芸術をジャンルもろとも破壊する「総合芸術」と考えることもできるのである。かつて三十年代に作曲家エドガー・ヴァレーズと共に構想しようとした幻のオペラは、アルトーのなかで鳴り響くことをやめなかったのである。

そもそもこの「様式」の絶対は、すでに寸断され、ヤスリにかけられ、焦がされ、叩きのめされ、糞尿にまみれ、息を止められ、放り投げられ、外に捨てられた言葉によって出来ていた。しかしこの絶対の形式はアルトーの最後の苦渋の身体のなかから生まれ、アルトーは誰にも真似のできないやり方でそれを完成させようとしていたのではないか。「演劇」はそこに介在したのか。これは最後の生の証しなのか。だがこれらの言葉は最後の松明のように燃え尽きようとしていたアルトーの不可能な身体から絶え間なく発せられ、それを最後まで燃え上がらせるのである。

死ぬ直前のアルトーがパリのサン・ジェルマン・デ・プレのカフェ「ヴェール」などに姿を現すと、店中の客、老いも若きも固唾を飲んで彼の一挙手一投足を見守った。アルトーは煙草を吸って、手帖を開き、それに鉛筆で何かを書きつけ、書かれた言葉を奇妙な声で朗読した。彼はかつてもいまも俳優であった。だがこんな「晩年様式」はどんな俳優にとってもそもそもあり得ないものだった。

死ではない。死はないからだ。永遠の生ではない。永遠の生はないからだ。

# 死んでいる

サミュエル・ベケット

「一度途切れた沈黙はもはや決して完全ではないだろう。」
（音楽家シュトックハウゼンによって引用された
ベケット『名づけられないもの』のなかの言葉）

何かが死んでいる。何かが死んでいるのを感じる。だが「死んでいる」と「死」が重なることはない。私は「死」それ自体が何なのか知らないし、「死」などないのではないか。死が何なのかを知らなくても、死んでしまえばそれは喪失だろうが、「死んでいる」ことは失われていることではない。それは「生きている」のと同時に起きている。

だけど蕭条《しょうじょう》とした初日《はつひ》を過ぎて、死んだものを見たのではない。おぞましいものがあるのではない。死の影に覆われているのでもない。死んだ人は大勢いても、誰かが私のそばで、私のなかで死んだのではない。今年もまたあの災厄の日、一月十七日がやって来るが、それはこの町に住んでいたすべての人々に実際に起きたことなのだから、次元の違う話である。私は死んではいない。死にかけの誰かが末期の言葉を私の耳元でふと漏らしたのでもない。それが微風の囁きのように聞こえたのでもない。そういうことではない。この「死んでいる」は私のうちに生起する一種の無能力、無知の状態なのか。乾燥した網膜の向こうに像が重なっていて、その薄い層が空気のなかに透けて見える。窓から差し込む冬の日差しが時間のすき間をぬって部屋のなかに取り散らかしたように散乱している。さっきまで晴天のこちら側で風花が舞っていたが、嘘みたいにすぐに溶けてしまった。何もしない自由が私に戻ったのか。これほど多くのことが起きているのに、何も起こっていない。茫漠としたもの、蒙昧なもの、不分明なものが私を取り巻き、そのなかに私の片鱗が置き去りにされる。

二〇二一年の年の瀬に爆音ライブをやった。少し変わった編成のバンドなのだが、たいていのロックバンドより音がでかい変則的ノイズ系である。その日は、私にとってその程度の爆音ではまだぜんぜん物足りない感じであったが（理想的というか好ましいのは音圧で髪の毛が揺れるくらいの爆音である）、ハコの事情もあるし、それなりの音のカオスのなかで演奏することはできた。ミュージシャン個人の日常的な知覚がどのように微細に変化するものであれ、爆音を出すことはほとんど知覚の問題ですらない。そんな音楽的覚知を尻目に、ほんとうの爆音の只中のなかにいると奇妙な「静寂」に襲われることがある。この静寂は言葉を寄せつけない。これには質感もあり、ある種の物質感をともなっているが、他のものと隔絶された音の「空間」らしきものがそこに現れることがある。それは音楽とは別の次元の経験である。我々はそれに包まれ、その内部にいる。聴覚だけではなく、視覚までもがおかしくなる。内部だけからなる空間。通常の時間が流れているようには感じないこの内部空間のすべてのベクトルは内側に向かっているが、音自体は外側の空間と時間、時空の遠近法的消点へ向かって、つまり「外」へ向かって消えていくはずである(外部との境界はどこにあるのだろう)。ところがこの静寂において、爆音は途切れず、そこに空間が現れるのだ、まるで透明の建造物のように。ここでもまた、そのようなものがあるとして、遠近法はひとつの幻想または錯覚であるが、音が出ているあいだ空間自体はそこにとどまったままである。そんなとき演奏している私はあらゆる意味で硬直している。これはカタレプシー(強硬症。硬直し固まってしまう状態)の空間なのか。ここに「言葉」は介在できるのか。私を取り巻き私を透過する時間は硬直し癌化することがあるが、空間もまたそうである。時間が癌化するのは、時間の細胞に記憶がウィルスのように侵入するのを免れないからであるが、しかしこの爆音空間に記憶は侵入できないらしい。そこにいてあえて何かを思い出すことはさらにできそうにない。記憶は弱まり、この静寂のなかでついに思考の領域を離れ、記憶の段階的運動は音圧によってはから否定の憂き目にあうだろう。言葉を包摂する思考はこうして瞬時にあらゆる状況から脱落する。言葉を無化するようなこの(言葉自体の)カタレプシーは記憶の情動的偏差がつくり出したものに思えていたが、そうではない。それはもっと物質化に近いものである。そのかわり(記憶を免除されているのだし、静寂というくらいだから)、こんな爆音のなかにいても、私は水の滴る音や鳥の囀りが遠くにかすかに聞こえるような本物の静けさのほうを想像してしまう。極端な増減と減少はここでも矛盾しない。

何しろ「静寂」のなかにいたのだからライブの疲れはたいしたことはなかったが、連日の鯨飲がたたったのか、正月に持病である心臓の具合が悪くなり、二日、三日と寝込んでしまった（一月末にも同じことになった）。寝床で横になったまま、年末に読み終えた宇野邦一の本『ベケットのほうへ』（五柳書院、二〇二一年）をぼんやり思い返していた。この本を読み、厳密にして精妙とさえいえる仕方でなされる分析の言葉を、そしてこの分析が行き着くところに同時に遍在する詩を、さらに引用されたベケット自身がつぶやく言葉を読み、ベケットの芝居や映像を思い浮かべ、そこで実際に語りかけているかもしれない人に、人間の非条件に耳を傾け、自分の空耳を聞き、それは著者の宇野邦一なのか、ベケットなのか、誰なのだろうと思い、それは誰かですらないのか、そう考えている私はここにいるのか、何をしているのか……。こうしてなすすべもなく正月の病床の静けさのなかで、その本に語られていた言葉を反芻しようとしていたら、自分が絶句の状態にあることがわかった。そのとき「何かが死んでいる」と思ったのである。病を患うことは「死んでいる」こととは違う。必ずしも片足を墓に突っ込んでいるのではない。それなら生まれたときからずっとそうだった。だが私の何かが新たに死んでいる。私は死んではいないが、でも何かが死んでいる。新しい経験だ。いや、何度もこの状態に見舞われたはずだ。しかし先に書いたようにこれは不吉な感覚などではなかった。不吉なものさえあざ笑う何かしら本質的な事態であるらしい。それとも逆に私は絶句状態のなかでまたしても磁石のように「言葉」のほうへ吸い寄せられているのか。爆音にしろ、そうでないにしろ、「静寂」は過ぎ去った。しかしこの得体のしれない事態は予兆のように実際に感知できるものでありながら、ここで起きているとも起きていないともいえる。血管のなかの端々で、その暗がりのようなところを悪い血が駆け巡っていたが、私はそれが流れ去るのを待った。

「それにしても私はもうすぐ、やっと、すっかり死んでしまうはずだ」と『マロウン死す』は始まる。『マーフィ』以来、どんなにベケットの創作が、死にとりつかれてきたかは自明のことだが、事故で無造作に死んでしまうマーフィを除けば、たいていベケットの主人公たちは、死につつはあっても決して死なないのである。まるでもう死んでしまったのにまだ生きていて、不本意にも不死を手にいれてしまったように、死は緩慢にしか進まない。『伴侶』の老人も、『見ちがい言いちがい』の老女も、すでに死んでおり、死につつあり、なかなか死ねない状況を反復している。「結局のところ、自分が死ぬのを感じなくても、もう死んでしまったと思うことはできる。罪をあがなっているところ、または天国の家のなかだ。しかしやっと感じているのだ、もう時間は限られている」とマロウンはいう。死と生、煉獄と地上の間にあって、すでに生きてしまった生の夢を怠惰に反復しているベラックワの偶像が、いつまでも繰り返されるのだ。

（宇野邦一、前掲書）

ベラックワとはダンテ『神曲』煉獄篇第四歌に登場する実在の人物であり、ダンテと昵懇《じっこん》の間柄であったらしく、楽器職人だったと伝えられる。彼は終生ものぐさで、臨終まで悔い改めなかったが、地獄を免れて煉獄前域にいる。そこはまだ煉獄ではない。ベラックワはダンテが語りかけても岩陰に座ったまま、膝の間に顔を埋めて頭《こうべ》を上げもしない。彼には何かをしようとする気がない。できれば何もしたくない。生前と同じくものぐさなままである。それで彼が言うには、煉獄に入るには、地上で過ごした時間と同じだけそこで待たなくてはならない。だがベラックアはすでに死んでいる。生きているダンテもまた煉獄の門をくぐるに際して、天の遣いによって七つのP（peccatum 罪）の文字を額に剣で刻まれた。ダンテは煉獄でこの疵を洗い去らねばならない。ベケットは「ダンテ…ブルーノ・ヴィーコ・・ジョイス」のなかで、生命と運動をめぐる地獄と天国の力関係について、煉獄においては地獄と天国という二つの場所のエレメントから解放された浄罪的過程が働いていると言っていたが、まだベラックワのいるその前域にあっては、待つこと、そう、とにかく待つことしかできないのだ。

マロウンが死ぬのはいつなのだろう。来月なのか。春が来てからか。マロウンには予感があったようだが、この予感に惑わされてきたのだとあらかじめ認めている。彼は死を待っているのか。私が死ぬのはいつなのかとは問うまい。私には予感がない。もう麻痺しているのかもしれない。私に関してこの問いには真実らしさや切実さが欠けているし、いつどうして生まれたのかと問うのと同じように事後のこととして積極的な意味がない。だが誰もが何かを待っていることに変わりはない。どうして待つのか。死ぬのを待っているのか。さあ、どうだろう。あの老婆はすでに死んでいる。死んでいると思った。あの老婆はいつまでも生きている。ああ、生きているのだと思っていた。だがそもそも不死とは何だろう。老いさらばえ、ずっと生きていることなのか。いつまでも死ねないことなのか。いつまでも死ねないなんてほとんど地獄の苦しみではないのか。……地獄の王は旗をひるがえす、何も知らない我々に向かって……。それとも我々の行為もその記憶もみんな無為の底に吸い込まれてしまうのか。死ぬことも無為なのか。無為の最たるものなのか。そしてそれとは別に死への恐怖があるらしい。これは何かの知覚なのか。心の問題に限られるとはいえないし、どうやら心をじかに知覚することはできないらしい。バークリーが言うように、知覚できないものは存在しないのか。だがバークリーは、あの森、あの山、あの川、すべては心のなかにある観念でしかないと言っていた。心のなか？ でも心は存在していないのではなかったのか、何しろそれ自体を知覚できないのだから。こんな風に知覚できない心のなかに死への恐怖というこのほとんど無意味な葛藤を隠していても、ないかもしれない心自体の問題ではないのだから、隠しきれない場合もあるらしい。世間ではよく目にする光景だ。「死んでいる」ことではなく、「死」への恐怖。この「死」はほとんど「死神」に近い。人間にとって死への恐怖はすべてを台無しに、水の泡にしかねないところがある。誰もが信じているように魂なるものがあるのであれば、これはじつに情けない事情である。生などと言ってきたのだから、始めてしまった生には終わりがあるのだし、何もかも辻褄が合わなくなる。こんなことはやっぱり全部、通りすがりの何かの余興なのか。そう、余興だらけだ。だったらすでに生きたということは、すでに死んでいるということではないのか。そう考えることも余興なのだろう。でも私は余興に囲まれながら馬鹿みたいに待っている。ベラックワのようにか？　ベラックワはすでに死んでいるのだから、死ぬのを待っていたのではない。それとも二度目の死があるのだろうか、最後の審判のように。いずれにしても私はとにかくずっと待っているし、ずっと待っていた感じがする。待つことは生きることだったのだろうか。これからも待つのだろうか。自力も他力も問題になりようがないような待機がある。この待機には目的も、たぶん原因もなく、内容もない。

寝床で蜜蜂の羽音が耳のすぐそばに聞こえたような気がした。冬になると蜜蜂は巣の中にいるのだから、よく晴れた日でもめったに飛んでいるのを見ることはない。おまけに病床の部屋の中だ。部屋の中に巣があるのだろうか。そんなはずはない。唸るというより囁くような羽音。何か言っているのか。音のはざまにかすかに言葉が聞き取れる？　そんな気がした。私は必死で耳を傾ける。四六時中激しい耳鳴りに襲われていた頃も、私はいつもそこに言葉を聞き取ろうとした。音と言葉は違う。爆音とも違う。いや、何も聞き取れない。言葉にとりつかれたと思っていたのに、しかし言葉は私から遠ざかっていた。私は空耳のなかに言葉を聞き取ることを諦める。「言葉に見放された」のだろうか。それとも別のものに見放されたのだろうか。ずっと見放されていたのに、気づかなかっただけなのか。この「見放された」という状態を私は今まで何度か経験したように思う。とっさにあらためてそれがわかったこともある。ああ、見放されているのだ、と。

今でもそうかもしれない。別に珍しいことではない。この経験は不条理ではない。ただ私は見放されているだけだ。文学も同じである。宇野邦一はベケットの作品を「不条理文学」と見なすことを精妙なかたちで退け批判しているが、たしかに当時、不条理文学という言葉を聞かされてもまったくピンと来なかったし、鼻白む思いがした。興ざめだった。「条理」に照らすなら、人間の非条件はあっても、そこに「不条理」なるものを見出す必要すらなかった。すでに我々の住む世界自体がどう考えてもすでに条理による不条理だったからであるし、そんなことは誰もが知っていることだった。

声、闇、誰か、想像……声がとりわけ主題である。いや主題などない。声、とにかくそれが言葉であること。それが何かを伝えようとしている。おまえは闇の中で仰向けになっている、という声。そう語る声。私が闇の中で何をしていようと、あんたの知ったことではないだろう。この闇の中の、誰かわからない、わかってきても情けない、ろくに動けない、どうやらまだ呆けてはいない老人、廃人ではないか。声と一つの体、なけなしの頭脳、記憶。そんなものに誰が関心をもとうか。彼自身でなければ。しかしおまえと言い、彼というなら、少なくとも語り手以外に二人いることになる。つまり三人もいる。そのうえこんな作品を読むものがいるならば、あわせて四人になる。大賑わいではないか。じつはたったひとりしかいないのではないか。たったひとりが書く物語でも、大人数が登場して賑わう。ありふれたこと。それがあたりまえではないのだ。『伴侶』。タイトルが伴侶で、声が伴侶で、いや誰かいるのなら、それが声の伴侶で、実は誰もいない闇に、声だけが響いている(かもしれない)。

(宇野邦一、前掲書)

声の伴侶。声自体が伴侶なのか、それとももうひとりの別の声なのか。もうひとり? いるのはいつもたったひとりではないのか。誰もいないのに、声が聞こえている。人の声は口を、頭を、体をもっているのだろうか。プロンプターの声もそこから漏れ出てきたように思える。人形遣いの声は? 存在するはずはないし、存在してはならないのに、存在しているつもりの声? それともスコラ学が言うように声として発せられる風なのか。天使とはこの風の変異である。風が吹いている。声が聞こえる。人がそこにいるのだろうか。そこの暗がりに? 風のやんだ丘の向こうに? 姿は見えない。また声が聞こえてくる。声はかすれて、弱まる。彼は沈黙するために語っているのか。ある種の作家にとって、書くことによってなら、何も言わないために語るということがあるだろう。沈黙のなかで喋り続けることができる? 沈黙しながら語ることができる? そんな風に簡単に軽率に言ってのけてしまうことができるのか。だが声に出して何かを言うことは、音、音声を伴ってしまう。声の風が吹く。天使が通る。つまりそのためにふと沈黙が生まれる。音声は沈黙とは違うのに、おかしい。仕方がない。そうなってしまう。小声であれ、大声であれ、叫びであれ、うめきであれ、爆音であれ……。意味であれ、無意味であれ……。つまりそれはあの「静寂」に近づく。つまり「休息」に似ている。休息とは待つことである。待つことはひとつの権利なのか。

いや、沈黙の権利、つまり生きながらの休息と私とのあいだには、いつも同じ暗唱課題があって、私はそれをよく覚えていたが、それを口にしたくなかった。何故かわからない、たぶん沈黙が怖かった、あるいはなんでもいいから言えばいいと思っていた。だから隠れたままでいるためには嘘でも言ったほうがよかった。どうでもいい。しかしいま思い出せるなら、私の暗唱課題を言ってみることにしよう。空の下、道の上、街のなか、林のなか、部屋のなか、山のなか、平野のなか、海辺で、波の上で、私の小人たちの背後で、私はいつも沈んでいたわけではなく、自分の時間を失い、権利を否定し、骨折り損をし、暗唱課題を忘れた。

（サミュエル・ベケット『名づけられないもの』、宇野邦一訳、河出書房新社、二〇一九年）

私もまた何度となく暗唱課題を心のなかで繰り返したはずなのに、しっかり覚えていたはずが忘れてしまった。「暗唱課題」！　言い得て妙である。それは忘れるためにあるとも思えない。だがほんとうに忘れてしまったのか。暗唱課題以外にやることがあったのか。それとも忘れたふりをしたのか。沈黙の権利が勝ってしまったのかもしれないが、それだってあえて望んだことではない。待つことは暗唱課題に溢れていた。それを強要した。待つことはそれをひそかに準備さえしていた。だけど瞬間は逃げていってしまった。暗唱課題もろとも。だから待つことによって闇雲に暗唱課題をとにかくなんとか口にしようとした。何でもいいから喋らずにはいられなかったのか。そのつもりというかそうしようとしていたが、泡を食ったように口の先まで出かかっていても、でも言えなかった。それは課題のままとどまった。暗唱もできなかった。覚えたらすぐに忘れてしまわなければならない呪文のようなものだ。もう覚えていないのだから、ベケットが言うようにそれを思い出そうとしたかもしれない。自分のこととして言えば、笑うしかない。でもここでは誰も笑っていない。それに聞いているものなんかいない。沈黙のなかには自分しかいない。

ベケットは先の文章をこう続けている。

それから私なりの小さな地獄があり、それほど残酷なのではなかったが、何人か親切な地獄落ちの連中がいて、私は彼らを思って呻き声をあげたりするのだが、何かがときどきため息をつき、私たちが灰になって消えるときを待ちながら、遠くで炎に包まれた慈愛が稲妻を放っている。私は喋りに喋る。それが必要なのだ。しかし聞きはしない、暗唱課題を探す、かつてはわかっていると思いながら白状したくはなかった自分の人生、そのせいで、たぶんときどき少し透明性に欠けていた。たぶんこんどだって、私は暗唱課題を探すだけで、それを口に出すことはまままならず、私のものではない言語で、私につきそっている。それにしても、私がまちがって言ったこと、もはや言わないこと、もし可能ならたぶん言うであろうこと、そんなことを言うかわりに他のことを言うほうがいいのではないか、たとえそれがまだ必要なことではないとしても。試してみよう、別の現在において試してみることにしよう。たとえそれが休止もなく、涙もなく、目もなく、理性もなく、まだ私の現在ではないとしても。

（ベケット、前掲書）

私の現在もまたいまだに到来していないのか。別の現在があるのか。地獄でも天国でもない煉獄という中間層を漂うものがある。おまけにその前域もあるらしいが、おおまかに言って我々は中間層を漂っている。下の方に落ちていったり、たまには岩肌を登攀し、あるいは風船のように上昇したり。天国の光は遠い。見えない。薄暗がりで暗唱課題をまたしても探している。ここは煉獄前域ではないらしいので、ベラックワのようにすでにやったことを繰り返してはいない。でもそうだろうか。保証のかぎりではない。外側に向かってこの病床の部屋、この空間の境界はすき間なく完全に閉ざされている。すでに述べた爆音空間とは逆に、内部のベクトルは外に向いてはいるけれど、このベクトルが境界を突き破ることは決してない。なぜかそのように出来ている。あらゆる力関係が外に向かっていても、完全に閉じているものがある。中間にあるものは両方に挟まれているのだから、開かれてはいない。それにここが煉獄前域でないという保証はない。誰にもわからない。すでに死者であるウェルギリウスという尊敬すべき先達がいても、ダンテにだって自分がどこにいるのかちゃんとわかっていなかった。だが、そう望めば、つまり何とか別の仕方であれば、この身体は自由に外に出て行くことができるらしい。歩いて出て行くことができる。歩けなくても、そこにいながらにしてそうすることもできるらしい。私にだってできるはずだ。地獄や煉獄前域ではそうはいかない。遠くから見ていると、地獄や煉獄にいる亡霊のように、この身体は動いているようにも動いていないようにも見える。射してくる光だって弱くなることがある。でも地獄にはそもそも陽がない。凍りついている。弱々しくても光のせいでここではそいつは時にはダブって見えることがある。二重写しになる。身体がそこで沈黙したからだろうか。それでやっとやっこさんは自由に振舞えるのか。それならこの無様な身体が沈黙するために声が語っていたのか。でも声が身体から出てくると、もう一度その声から身体が出てきたりしたではないか。あの別のやつが。あいつが喋っているだけなのか。それでやっぱりずっと喋っているのか。ぶつぶつ喋っているのが聞こえているのか。でもあいつですら、沈黙のなかで喋り続けることなどできるのだろうか。あいつは苦しんでいるのか。あいつは浄罪の旅の途上にいるのか。それは死んでいることなのか。

# 「文学の実在」について

## クルト・ゲーデル

「文学の実在」へといたる端緒が奈辺にあるかを考える上で、私にとって数学者ゲオルク・カントールやクルト・ゲーデルは、その学説だけでなく、ひととなりを含めてずっと無視できない存在だった。彼らへの関心はすべてが数理論的な次元にあるのではなく、文学の真理についての論理と感覚の領分にもあったのだし、勿論、私はこれらの数学者たちをそれぞれの数学的公理のように理解したと言うつもりはない。

最近もゲーデルについて再考を促される機会があったが、直接的にはひとつのきっかけがあった。膨大な「ゲーデル文書」を読み解いたピエール・カスー＝ノゲス『ゲーデルの悪霊たち』（新谷昌宏訳、みすず書房、二〇二〇年）を読んだからである。腑に落ちるとしか言いようのないゲーデル論、とても刺激的な本であった。以下は、この本に触発された「ゲーデルによる文学の実在」についての覚書である。

それにしても科学的合理主義者を自認するような人たちからすればこの本はどうなのだろう。そういった人たちはじつは偽の合理主義者であり、ただ頭が悪いのだと言ってしまえばそれまでだが、何しろ数学者ゲーデルは悪霊の実在を信じているのである。だが私が思うに、むしろゲーデルにそのような思考の可能な転回がなかったとすれば、彼の言う「数学の実在」はあやふやのものになってしまうどころか、ただの世迷言になってしまったかもしれない。だが科学的合理主義を自称する科学の信仰者たちはこのような信仰を認めるはずがない。ゲーデルは数学者として破綻していると考えるだろう。そう、あらゆる意味で天才であったゲーデルは、真の科学的合理主義者として巧みに破綻しているのである。

門外漢である私はゲーデルの「不完全性定理」や「連続体仮説」を言うまでもなく自家薬籠中のものにしているわけではないが、このような天才数学者が生きている生々しいはずの感覚世界（あえてそう言っておく）が実際どのようなものかについてずっと興味があった。この感覚世界はこのような数学者の生きてきた日常のなかにあるが、彼の数学者としての本質を形成するものである。私はそれを知りたいと思っていた。私にとっては、ゲーデルが考え知覚するプラトン主義的な「数学の実在」は、そのままの形ではないにしても、必ずや「文学の実在」を考える大いなるヒントになると思っていたからである。ここで言う「文学」には探偵小説やサイエンス・フィクションも含まれるが、私はもっと広範で本質的な意味での「文学」を念頭に置いていて、その本質とは文学の「破綻」である。

それどころか、彼ら理数系の天才の感覚世界は、人間のもつ稀有な、そして真である経験論に組み入れることができると考えるからである。この経験論は「文学」の第一の根本課題である。ゲーデルはライプニッツ主義者であるが、数学的概念（あるいは私にとっての文学的概念）の実在、それ自身による実在は、モナド内部における魂のイメージとして現実化する。それは他の実在とは異なるが客観的でしかあり得ない事態であり、しかも空間的な世界で起こる現象とはまったく別のものである。ここにはゲーデル特有の多元的な決定論があり、この場合、ゲーデルにとって、逆にそこに生起する物質を含めた空間的時間的現象はこの決定論のただの徴候であるか残像である。

我々は文学的あるいは芸術的対象を無から創造しているわけではない。それはまず知覚されるものであるが、そのことによって形而上学の内延外延を決定することができる。ただしこの知覚への移行が我々にとって鮮明なものとして把握されないのは、まだそれが抽象的段階にとどまっているからにすぎない。創造行為において、抽象的段階から逃れるために、知覚にとって物語がいまだ可能であれば、どこかに反物語も生起する。この物語のほうを人は芸術的営為であると思い込んでいるが、実在として考えるならこれもまた錯覚であるし、反物語のほうが現実的であることもある。ゲーデルによると、概念は知覚することができるのだし、文学の概念も同じであるが、概念には反省＝反射性というものがあって、概念はそれ自身に適用されるのだから、集合論的に言えば、概念はそれ自身に属している。これは精神の反省＝反射性であり、「私」は私自身を理解する。一方、概念の外延を考慮に入れないなら、概念は概念の集合には属さないし、「私」は私自身を理解しない。この数学的に矛盾した性格は、そのまま「文学の実在」の本源、その実在の外延にとって決定不能な急所をかすめている。自己言及的であることは一段高次の相対的困難をつねに生み出すが、それならば文学の実在はそれ自身に、それ自身の集合に含まれるのだろうか。さらに無謀な憶測を言えば、決定論では解決されない新しい推論様式を文学の実在によって定式化することはできないのだろうか。

文学または芸術の概念を知覚できるとすれば、我々は言葉を、個々の表現の素材を知覚していることになる。だが何らかの言葉、あるいは素材を知覚するとはどういうことなのか。このことが可能になるのは、我々の側が対象に没入するのではなく、むしろ対象自体が絶えず像や言葉を発するようにして、言葉の形式論理が無限集合の階層をなし、ある種の連続する生命のようなものとして、言葉に眼があり、対象にも眼があり、それが我々を見ていて、対象が我々の側を何らかの仕方で捉えるときである。ゲーデルにとってモナドは霊魂的なものであり、今述べた事態はモナドとモナドの間のやりとり、または交通である。だが我々は我々のモナドを追いかけるのだとしても、言葉を思考し知覚し得たかに思えた我々自身もまたこの概念の集合に含まれる要素にすぎない。それは直観がとらえることのできる変数であり、それ自体でひとつの奇妙な場、干渉し合う場を形成する。これが実在である。対象が実在であるなどということには関わりなく（集合がモナドから見られたものである以上、その要素はそれら高次の関係の素材であり、現実性との対比におけるこの場合の実在性は観念にすぎない）、つまり個々のものが論理的連関のなかで有限な実在的様相を帯びようが帯びまいが、そんな前提とは関係なく、文学的対象が実在であるのは以上の意味においてである。

その実在をさらにモナドとして誰かが見ているのだ。この問いをフィクションの問いとしてさえ最初から放棄しているファンタジー文学なるものを私が好まないのはそのためである。「文学の実在」は現実的なものでなければならない。これらの対象はいまだ不完全であるが、やはり独立した実在であって、すべての可能世界の指標である。しかしこの文学の実在性は「表現」がもたらした実体とは言えない何かであって、ゲーデルの言う数学的実体のように自分で自分を夢見ているのである。

この事態はn番目の眼、ゲーデルが言うようなあの松果体の眼に何か関係があるのだろうか。だがそもそも松果体の眼は何らかの脳の器官と同一視できるものであろうか。数学の実在に関して、ゲーデルは、松果体の眼が脳ではなく、理性の、「精神の理性」の眼であると言っているのである。ゲーデルにとって明らかに脳と精神は分離しており、数学の「実在」はそのはざまで夢を見るように顕れるはずだ。ところで精神の内にあったはずの理性の分身は、自分のものではない松果体も含めてこの松果体の眼を出たり入ったりできるように思われる。そこに映し出されるのは分身の幻影ではなく、独立した実在性であるが、夢の反映のように理性とその分身の表出はこの世界において不完全にしかなされることはない。しかし分身はこの松果体の眼に映し出されるものであったり、またこの松果体の眼の機能そのものであったりするのではないか。そもそも、普通、現実の実在を見て確認あるいは再認していると誰もが思い込んでいる眼と、この「精神の理性」による眼は原理においてどのような違いがあるというのだろう。

ゲーデルによる無意識はその周辺に蝟集するようであるが、かくいう無意識はフロイト的無意識とはまったく異なり、対象のほうが松果体の眼を通して無意識に結びつくことによって、無意識は逆に「理性」に含まれることになる。この眼によってゲーデルは悪魔や悪霊の存在を認識論的なものとしてさえ再認しているように思われる。『ゲーデルの悪霊たち』の著者ピエール・カスー＝ノゲスの見解、この本の最後に行っている一種の弁明にはいささか反することになるが、悪魔や悪霊がゲーデルの直観したようなものでなければ、たとえ定理はひとつの理論のなかでだけ証明される言明にすぎないとしても、不完全性定理を成立させていた「数学の実在」は、ゲーデルの妄想か絵に描いた餅であったことになるのではないかと私には思えるのである。なぜなら「数学の実在」はゲーデルのフロイト的無意識の外にあり、証明を行おうとする彼の単なる偶然の妄想などではないからである。

……村雨がやむのを破れた軒の下で待った。しばらく激しく打ちつける音がしていたが、驟雨が何事もなかったようにやむと、青空が広がるのが見えた。悪霊が軒下にいて、底まで真っ黒い穴のようなその黒目がぐるりと動いた。私ははっとした。雨の音を聞きながら私は立ったまま眠っていたらしい。見ると、庭の鶏頭が踏んづけられたように倒れている……

雨が降った。雨がやんだ。それなら時間は経過したのだろうか。そこで何が起こっていたのか。時間は過ぎ去ることなく、そのまま残存する。その意味で時間は進化にも生成にも従うことはない。ジャン・グルニエは「時間は現実でしかないものを破壊する」と言ったが、現実でしかないものによって、時間は現実ではないものに照準を合わせる。そして時間は現実ではないものをひとつの平面上に照らし出し、飛び飛びに並べる。非在は存在の空集合ではない。現実でしかないものはつねに現実ではないものと対になっていて、互いを照射する。モナドは時間を知らないし、完全に閉じているのだから、そこには二つの決定論がある。ゲーデルによると、時間は客観的実在性をもたない主観的形式にすぎないのだが、そしてそうであれば時間の直線的実在性はモナドに対してあっさり否定されるのだが、時間は実在からはみ出たひとつの形式であって、その意味で相対的なものである。それでも因果性においてすら必然性は別の形をとるのだから、時間の問いは、もうひとつの内部の外である分身の存在をあらかじめ含意していなければならないことになる。そこでは精神と身体といったような切断は生じないが、別の形の切断が生じている。分身は言ってみれば実在する「私」に対する観察者のような役割を演じていて、「不完全性定理」のなかを自由に行き来し、そこに住んでいるかもしれない。この観察者はどこにでも行くことができるのである。

ゲオルク・カントールの連続体問題に関して（カントールは「私にはそれが見えているが、信じることができない」と言っていたが、後に発狂した）、それを偽とするゲーデルは数学的直観とは「心理学的事実」であると述べる。このことはどうでもいいことではないし、実無限がそうであるように、誰にでも実感もしくは直ちに理解できることではない。しかし知覚を問題にすれば、この心の状態のひとつに映し出された、実在を形成するところのものは、まずは脳のなかの松果体の眼に生じるようだが、これはほとんど通常の「見る」という行為を逸脱している。つまり心理学的事実のなかにも数学的な「眼」があるのだが、それでもこの感覚的経験は言語中枢に結びついていて、ゲーデルによると、数学を行うのは、有限な計算機である「脳」や、オンとオフしかない二元的な脳のシナプスの連結ではなく、「私」なのである。これは実に味わい深い理論的見解であると私は思う。脳は信用できない。信用できるのは「私」である。記憶に関してさえ私の「精神」は脳を信用していない。文学もまたあまり脳を当てにはできない。公理から出発しても証明も反証もできない算術があって、これが脳の埒外にあるということである。論理学が一定のイメージに従っているとしても、ゲーデルによると、この算術のイメージにおいては「私」の他者は他者であることができないかもしれず、奇妙なことにそれは通常言われる他者の位置をもたないかもしれないのである。

ゲーデルはバークリーのようなイギリスの観念論者たちに似ているようにも思うが、それはそれとして、ゲーデルは普通の意味での極端な合理主義者であって、そこには神学的とも言える明らかな楽観主義がある。ゲーデルの楽観主義は数学者特有のものに思える。文学者ならこうはいかない。そして徹底的な合理主義というものは合理主義の内包する限界をそのまま超え出てしまう。ゲーデルによる「精神の理性」への強い信頼が、通常理性と考えられているものの外側の限界をはるかに超脱してしまうのと同じ事態が起きている。ところでこんなふうに内と外の限界が同じものだとするのは奇妙な理論である（蛇足ながら、デカルトの「悪しき霊」や、狂気をめぐるミシェル・フーコーとジャック・デリダのかつての論争はこの点からさらに考え直してみるべきかもしれない）。ともあれ繰り返すなら、ゲーデルがその合理的楽観論によって何よりも数学的に確信を抱いているのは、「精神」は脳ではなく、チューリング機械ではないということである。敷衍すると、例えばコンピューターに無意識が注入できたとして、しかしそれは脳の代わりができても、ゲーデルの言う「精神」にはなれない。つまりそれが「人間」になったり、いわんや「私」になることはない。ライプニッツ主義者であるゲーデルと予定調和を唱えるライプニッツが微妙に異なるのはその点である。

ゲーデルにとってモナドロジーはいわば「心理学」である。誰かが我々を、「私」を見つめているなら、それはモナドを見ているということである。モナドは外を映し出す宇宙のいわば内的表象である。個体である我々はその時点で個性なるものの実態を失っている。なぜなら我々がいくら動き回ろうとも、モナドからすれば、我々は見られている存在にすぎないからである。その際、「私」は、私が要素である集合である我々もしくは集合としての「私」が何であるかを知らないのだから、モナドによって映画のように映し出される映像の一コマであると同時にその全体であり、諸々の可能な出来事の断片でありその集合である。ところで「私」の集合には「私でないもの」の要素は含まれるのだろうか。ゲーデル的な概念としてならそれは含まれる。そして「私」の集合とこうして形成された「私でないもの」の集合の対応関係には濃度があって、集合の要素の存在をあらかじめ決定する無限の形式に対する直観によって外側から概観される。まず「私」は私にとって外から見られる集合なのである。もし「私」に内側だけしかないとすれば、「私」の集合は瓦解する。「私」のモナドロジーとはそういうものである。

時間の全体、あるいは時間旅行について言えば、モナドは現在と並行しているのだから、この映画は過去の映画であり（記憶に関して、ゲーデルは無限に長く続く過去生というものをヴィジョンとして想定している）、おそらく（撞着語法を用いるなら）同時に未来の映画でもあるだろう。これはまさに文学の示す特性である。ゲーデルはたぶんそれほど文学を好んだわけでもないだろうに、独特な文学的感性をそなえていたのだと言うことができる。部分と全体が同型になる無限数の個別の事象が起こるのであれば、数学的であることと文学は経験世界において両立するのだ。ところで埴谷雄高は「自同律の不快」と言ったが、私にとってこの世界における非自同律も不快であり、そうであれば数学的観点から考えることもできる快と不快は、この経験世界にとってヤヌスの双面であり、そのことによってひとつの数学的実体を形づくるものである。

夢は不毛である。モナドには出たり入ったりできる窓がないのだから、我々は閉ざされたこの生のなかで夢を見ている。アルゼンチンの作家ホルヘ・ルイス・ボルヘスは夢とそうでない状態への移行を問題にしない。ボルヘスの登場人物は夢のなかにいても夢見てはおらず、また夢見ていてはならず、つねに覚醒していなければならない。そこには、幻影ではなく、夢見られてはいないものだけがいたり、それがあたかも夢を見るように夢の外に存在したりする。つまり「私」の分身は「私」を知っているが、「私」が分身のことを可能性として知ることはない。このことは「文学の実在」に関してあらゆる言語形式の不完全さを示している。普遍記号学には欠損があるのだ。

ピエール・カスー＝ノゲスはボルヘスの短編「他者」を取り上げた章で、「これはたぶんすでに、夢の中には真の分裂は存在しないということを言っている」、あるいはボルヘスの夢には「無意識の根拠は存在していない」と述べているが、ボルヘスには夢見る主体の分裂はなく、ゲーデルの形而上学のようには主体の分裂を許容することはない。これは登場人物の誰かが見ている夢であるが、夢見られた別の人物は夢を見ているのではなく、その夢のなかにいるだけである。ボルヘスの夢のなかでは、夢のなかでは起きるはずのない物事、いわば不完全ではない「定理」の「識別」が絶えず行われているのである。これもまた、当然のことながら「文学の実在」の秘密に触れるものであるが、ゲーデルにとって「数学の実在」の背後に神がいるとしても、「文学の実在」の陰にボルヘスが隠れた神を想定していると私には思えない。むしろ小説家ボルヘスは「文学数学者ゲーデルにではなく、ゲーデルの「定理」に似ているのである。

「文学の実在」はこうして「数学の実在」とからくも一致していることがわかるのである。

追記

私が多くの示唆を得たこの本の著者ピエール・カスー＝ノゲスは、フランスの数学者ジャン・カヴァイエスの研究家でもある。

ジャン・カヴァイエスはゲオルク・カントールの研究家であったし、つまり無限の観念によって危機に陥った数学をめぐる新進気鋭の数理哲学者であったのだが、構造主義の知られざる父と目されていた人物でもある。門前の小僧として思い出すなら、ずいぶん前に私が最初にジャン・カヴァイエスを知ったのは『数理哲学』という本で、その本に収録された「カントール＝デデキント往復書簡」のカヴァイエスによる仏訳を読んだのだった。

カヴァイエスの妹による伝記、ガブリエル・フェリエール著『ジャン・カヴァイエス　ある戦時下の哲学者』（後書きはガストン・バシュラール）は兄妹だから書ける好著だったが、それによると音楽の勉強もしたことのあったカヴァイエスはモーツァルトを聞き、晴れ渡ったリュクサンブール公園で鳥の囀りを耳にしながらスピノザを読むような若き哲学徒だった。第二次大戦中、彼はナチス・ドイツに対するフランス・レジスタンスのリーダーのひとりとなり、爆弾闘争に身を投じたが、ゲシュタポによって逮捕される。一九四四年、アラスの軍事法廷で有罪となり、銃殺刑に処せられたのはフランス解放、第二次世界大戦終結の直前であった。パリのある通りには彼の名前が称号のように冠せられている。

妹によると、ジャン・カヴァイエスの墓はアラスの墓地の見捨てられた一角にあって、そばには白い花をつけた野生の薔薇の木が立っているらしい。「そこへ行くとジャンがずっと生きているのを感じた」、と彼女は本の最後に書いている。

# 2

# 像

# 幾つもの太陽
## ヴァン・ゴッホ

「私にとって、人間の頭はいまでも触れることができないものだ。あの先史時代のレスピューニュのヴィーナス以来、現実などというものは、ほんの少し触れられたにすぎない……」

——アルベルト・ジャコメッティ

一六〇〇年にローマ教会によって火刑に処せられたジョルダーノ・ブルーノがいみじくも言ったように、我々の外には諸世界が拡がっているし、夜空の星々はそれぞれが一個の太陽である。それは真理であるが、中世にいるように旧弊なままの、豚のような我々の思念はこれらの太陽に届かない。

ヴァン・ゴッホの『星空の下の糸杉の道』に描かれた星々は、たとえ時間が不可逆であるとしても、もはや過ぎ去ることのない一瞬に現れた夜の太陽である。この一瞬は過ぎ去ったものといまにも過ぎ去ろうとしている（そしてつまりいまにも到来しようとしている）ものの間にあるが、停止したその一瞬がつなぎとめたすべての情景を夜の太陽が凝視している。たしかに世界は我々の眼前にあるのだが、この世界のなかに、まったく同一であって同時に何かが異なる世界が現れる。何が異なっているのだろう。何が滲み出てくるのだろう。

ヴァン・ゴッホの太陽。烈日によって世界はすぐさま竈になるが、画家が見たあらゆる既知の風景を、最後の最後に、風になびいて音を立てる黄色い麦畑に変えてしまう。後に触れることになるだろうが、『カラスのいる麦畑』がヴァン・ゴッホの死の直前に描かれたタブローであったのは偶然ではない。

そして『麦畑』だけでなく、ヴァン・ゴッホの昼の太陽も、あるいはまた糸杉の道を白っぽく照らし、白夜のような薄闇に輝くような星々、夜の太陽も、ともに黄色を基調にしている。この色彩は、ヴァン・ゴッホによって荒々しく、むしろぞんざいに塗りつけられることによって、タブローの目には見えない表面の大きな穴から滲み出て、じょじょに突出し、少しずつ溢れ出てくるのだ。その穴とは何かの破れであるが、この破れはそもそも光の穴、光が開けた外からの空隙だったのだろうか。そして穴が深層を隠したタブローの裏側まで達するなら、この黄色は影が消えてしまう真昼の色、正午の色となるかもしれない。だが正午は真夜中にもなるし、真夜中は黄ばんだ正午に現れることもある。この正午も真夜中も、ヴァン・ゴッホのような画家を除けば、それとして見た者は誰もいない。我々はいつも遅れてやって来るしかないのだ。

太陽は画家の描くタブローに予測不能の刻印を残したのであろうが、画家の思念もまたこの太陽に届くことはないだろう。ヴァン・ゴッホといえどもである。無意識の内と外で、太陽は描かれたり、描かれなかったりするのだが、それでも画家のタブローを容赦なく照らし出し、世界を一瞬のうちに裁いている。それはほとんど光源ですらない。そいつは内部から、他処から湧き上がるように我々を睨みつけ、すべての事象を白日のもとにさらし、否定するだろう。太陽は真正面から雲を、背後から草原を、一本の糸杉を、ヒマワリを、アルトーが言うように「墓の反対側」から見られたように、無闇に、あからさまに照らし出すだろう。敵に対するようにだろうか。敵は世界であるが、ここに鏡の効果はない。

ヴァン・ゴッホの絵画のなかで、色彩が空虚をおびやかしている。それは空白のなかに光がもたらす散文的な反射を受けた絵筆の動きではなく、ましてや表現の過程にあった光の抒情的な振舞いそのものでもなく、文字どおり何かの充溢である。その意味でヴァン・ゴッホの絵画は面の絵画であり、線は消滅している。

空間は充溢する。それより前に空間は現れてはおらず、この充満によって、時間と区別され、時間を離脱する空間が生み出される。物体が現存しはじめるのはそのときである。ヴァン・ゴッホより前の世代の印象派にとって、例えばモネにとって、世界は表面、光による表面だけでできていたと思われるが、タブローが青い海のようなものとなったとしても、そして色彩が放つ「アウラ」が表面を領しているとしても、ヴァン・ゴッホの絵のなかには表面と空間の不思議な共存がある。

画家は何に取り憑かれているのだろう。太陽にだろうか。私はヴァン・ゴッホのいわゆる精神異常のことを言っているのではない。アントナン・アルトーが激怒したように（最初にアルトーにゴッホ論を書くように勧めたのは画廊主のピエール・ロブだったが、背中を押したのはこの怒りだった）、医者の知ったかぶりによって、いくらヴァン・ゴッホを先天的な精神病質であると断じても、それで何かを解明したことにはまったくならない。自分で耳を切り落としたとしても、絵は描くことができる。精神病者？　それでも優れた絵を描くことができるのだし、そこに本質的問題はない。いずれにしても、太陽はタブローのこちら側で「死んだ時間」、「死すべき時間」を自らを照り返すようにして逆照射しているが、画家はそれから本能的に逃れようとするだろう。ランボーが言ったように、どんな太陽も「痛ましく」、恐ろしい。精神病院のなかで、精神科医の助けによって、ヴァン・ゴッホはあの痛ましい状況から逃げおおせる見込みがあったのだろうか。たぶんそんなことはあり得なかった。

最晩年のアントナン・アルトーは、彼の白鳥の歌であったと言えるヴァン・ゴッホ論（「ヴァン・ゴッホ　社会による自殺者」、『神の裁きと訣別するため』所収）に次のように書いている。

ヴァン・ゴッホの絵画のなかには亡霊はいない。ヴィジョンもなければ、幻覚もない。それは午後二時の太陽の酷熱の真実のうちにある。

ここでアルトーは文字どおりのことを言っている。韜晦はなしだ。錯乱も強直痙攣もともなってはいない。アルトーは続けてこう言う。


少しずつ解き明かされたある緩慢な生殖の悪夢。

悪夢もなく、そして結果もなしに。

だが、そこには生まれる前のものの苦しみがあるのだ。

まさにそこで引き渡されようとしているのは、牧草の、一本の麦の苗木の茎の、湿った光沢である。

そしていつの日か、自然はそれを報告するだろう。

社会もまたその早すぎる死を報告することになるように。


風を受けて傾いた一本の麦の苗木、その上にある、コンマとして置かれた、たった一羽の鳥の翼とともに、この画家とはいったい何者なのか、厳密には画家とは言えないような画家、これほどあきれるほどの単純さをもったひとつの主題に、ヴァン・ゴッホのように立ち向かう大胆さをもち得たかもしれない画家とはいったい何者なのか。

いや、ヴァン・ゴッホのタブローのなかに亡霊はいない、ドラマもなければ、主題もない、そして私は対象もないとさえ言うだろう、というのもモチーフそれ自体とはいったい何なのか。なんとも形容し難いある古代の音楽のもつモテットの鉄の影のような何か、それ自身の主題のもつある絶望的なテーマのライトモチーフのような何かでないのなら。


いったいどんな画家に事物を表象としてではなく、事物として描くことができるのだろう。アルトーの言う「午後二時の太陽」とは、たしかに表象ではないし、その酷熱の真実もまた表象をかすめもしない。それは表象のなかには決して存在することができないものである。アルトーは全力でそう言っているように思われる。この場合、描くためのヴァン・ゴッホの意志は表象としての世界と同列にあることはできないし、この意志はあくまで表象の歴史から外に出ようとしていることがわかる。これはヴァン・ゴッホの絵画の要であると私は考える。中世のモテットの旋律が動かせないように、それは動かない。

燭台と本が置かれた『ゴーギャンの椅子』のことを思ってみる。そこには事物が生み出す紛れもないドラマがあるが、ゴーギャンの亡霊が入ってきて、そこに座ろうとしていたとしても、それは観る者を含めて誰の「表象」からも遠ざかる一方である。我々は何を思うことなくそれを見ることができるだけだ。そして厳然として椅子だけが残される。「実在」が現れるのだ。

哲学者ジャン＝クレ・マルタンはそのゴッホ論『物のまなざし　ファン・ゴッホ論』（杉村昌昭、村澤真保呂訳、大村書店、二〇〇〇年）の冒頭近くにこう書いている。「したがって、ファン・ゴッホの絵画は何かの表象といった次元に属するものではなかった。カンバスの一方に、特権的な位置から自然の光景をとらえようとする画家をおき、他方に、揺るぎなく固定された近寄りがたい物のざわめきをおくといった安易さは、ゴッホの絵と無縁である。フィンセントにとって、画架の前にある物と後ろにある物とのあいだにも、絵をはさんでこちら側とあちら側に別れて存在する見る者と見られる物のあいだにも、違いはないのである。現実がみずからよりどころとする物の世界を隠すような仕方で、現実と反‐同格の位置に立てこもるカンバスの垂直的な枠組みのなたにむかって、ファン・ゴッホはこの白い境界線を切り裂き、生を作品のなかに注ぎ込む。すると同時に、作品は生のなかに注ぎ込まれることになる」。

私もまたこの切り裂かれた「白い境界線」を何度か見たことがあるような気がする。反復されそこなったにしろ、私の記憶は記憶の輪郭をまたいでそこにとどまっていた。それを越えなければならない。すると「生」らしきもののなかに事物が現れることがある。

対象を欠いた、というか対象がまだそこに生まれていないモチーフとは、いまだ形にならない「物」である。このような「物」がヴァン・ゴッホの絵画に描かれたような事物となったとき、この「物」にはすでに目のようなものが備わっていることに気づくことがある。「物」がもつこの「目」は、境界線をやすやすと透過する。目玉はないが、視線は世界をすっかり包摂していて、病気を患った目の機能のように、焦点が合わなくなるように、近さと遠さを同時に打ち消すことがある。そして風景に目には見えない斜線が引かれる。タブローは光の横溢のなかでさえ一瞬暗くなる。タブローのなかから事物は見ている。事物のほうこそが我々を見ているのだ。

　ここでは何かしら出来事らしきものが起きているのだろうか。「出来事というのは、物をある同一の絶対的に唯一の瞬間のもとに結び集めることのできる「何か得体の知れない」特殊な物を指示するのであり、その瞬間によって物が置換不可能なある雰囲気のなかで結び合わされるということである」（ジャン＝クレ・マルタン、前掲書）。

　出来事はこの「物」から瞬間的に発散され生成されるだけでなく、この物の凝集と同格のものとして与えられる。あるいはそれによって出来事は一瞬にして構成され組織される。しかしその構成や組織化は時間を伴ってはいないし、時間のなかで完遂されることはない。周知のように、やはりここでも出来事は時間を逸脱し、持続の琴線を断ち切る何かとなるのである。ヴァン・ゴッホの場合、それに色彩の諧調が与《くみ》している。色彩は「原因」なのだろうか。必ずしもそうではない。だから原因と結果は同時に与えられる。

　アルトーは言う、

私はまた艶のあるトリュフのように真っ黒な翼をしたカラスたちのことを考える。私はまた彼の麦畑のことを考える。麦穂と麦穂が重なり合い、そしてすべてが言われたのだ。前のほうにある、そっと撒かれて、辛辣に、神経質にそこにはりつけられ、しかもまばらで、わざと狂ったように区切られてぎざぎざになった、幾つかのヒナゲシの小さな頭とともに。

ヴァン・ゴッホの絵画の独特の「黒」は、彩色された事物を無化するのではない。弟のテオはヴァン・ゴッホの黒を『手紙』のなかで非難しているが、黒は二十七種類あるとヴァン・ゴッホは言う。光は、ある時は暗く、ある時は明るく描かれ、「黒」が表す世界の縁辺をそのまま通り抜ける。物理法則に反して、これらの黒のなかには光さえ入り込んでいるように思われる。絵画的な光は、他の絵画においても、古代ギリシアの哲人たちのように、つねに物質に近づけて考えねばならない。ましてやヴァン・ゴッホの「カラスたちの翼のトリュフのような黒」は絵画における「別の」物質である。このようにそれぞれの画家にとって、色彩の段階とは、出来事にとって、未知である物質としての光の段階となる。光が「黒」を反映しているのであれば、それはどこから射していたのか。裏側から何を照らしていたのか。

アルトーが言うように、「大地と海が等しくなる」カラスのタブローに戻らねばならない。

そして葡萄酒の澱《おり》のような赤紫色、彼はそれで画布を煎じたのだ。すると大地は葡萄酒の匂いを放ち、麦の波に囲まれていまもひたひたと音を立て、四方八方から空のなかに寄り集まってくる低い雲にくすんだ雄鶏のトサカを対立させる。

だが、すでに言ったように、歴史のもつ死を思わせる不吉な様相は、カラスたちがそれをもって遇される贅沢なのだ。

まるで大いなる夜食から抜け出たような、麝香や、豪華なナルドの香油や、トリュフのあの色彩。

空の紫がかった波間から、煙でできた老人たちの二、三の顔が、この世の終わりのようなしかめ面をしておそるおそるのぞいているが、ヴァン・ゴッホのカラスたちがそこにいて、彼らにもっと品位を保つように、つまりもっと霊性をなくすようにとそそのかすのだ。

そして彼が実存から解放されようとしていたまさにその瞬間に描かれたような、低い半円形の空をしたこの画布とともに、ヴァン・ゴッホ自身が言いたかったのはそれである、というのもこの画布は、誕生や、婚姻や、出発の、しかもほとんど荘重である異様な色彩をもっているからであるが、

私には大地の上空でカラスたちの翼が強烈なシンバルを打ち鳴らすのが聞こえていて、ヴァン・ゴッホにはいまからもうその大地の波浪をくい止めることができないように見える。

そして死がやって来る。

この一節はアルトーのゴッホ論の白眉であると思われるが、『カラスのいる麦畑』はなんとも

形容し難いタブローだ。それは紛れもない傑作であるが、もはや絵画的絵画ではないと言うことができるかもしれない。少なくとも絵画であることを忘れさせる絵画であるに違いない。それほど大きくなかったはずのこの絵の実物を最初に見たときのことを思い出す。私はそれまでヴァン・ゴッホの絵画にそれほど強い関心を抱いていなかった。私は完全に間違っていた。

夜なのか。もうすぐ嵐になる薄暮なのか。太陽はどこにあるのだろう。このタブローに太陽は描かれていないが、傾いた麦穂が麦穂に重なり合っているのだから、強い風が吹いているのがわかる。太陽はもしかしたら、アルトーの言うしかめ面をした煙でできた老人の顔の後ろにあるのかもしれない。それは終わりが始まる最初の夜、それとも最後の夜なのだろうか。だがこのタブローに描かれた夜の迫る空は、ヴァン・ゴッホが描いた他のどの空ともまた違う空に見えるではないか。

これほど非人称的な絵があるだろうか。主題は消えている。画家の主観的主張も、何か別のものを描こうとする強迫観念も感じられない。ヴァン・ゴッホの他のタブローにもあったように、夜はこのようなどっちつかずの光で描かれることもあったのだから、いずれにしてもここには世界の夜の帳が降り始めている。しかしその夜すらも、カラスたちの翼の羽ばたき、そしてざわざわと強風になびく麦穂の音の向こうに消えていくかのようである。カラスたちはどこへ向かっているのか。アルトーの言う「自然」が出現しているのだろうか。カラスたちは、見ようによってはこちらへ向かって飛んでいるようにも見えるが、やがてタブローの外へばさばさと飛び去ってしまうだろう。

嵐が迫っている。時は迫っている。

タブローの外にはタブローを照らす夜の黒い太陽があるに違いない。それは迫りくるヴァン・ゴッホ自身の死であり(ほんとうに彼はまもなく死ぬだろう)、そこでは、空も、カラスも、麦畑も、事物は別の事物ではなく、その事物のままなのだ。不穏な空、カラス、その羽ばたき、風、吹き飛ばされた雲、ざわめく麦畑、誰もいない道。事物は別の世界を通って別の事物となり、もう一度この世に戻ってこの事物そのものとなった。まったく稀有なことに、事物が自然の事物として奇跡的に描かれたことによって、ヴァン・ゴッホの芸術はここで終わりを告げるのである。

# 鳥が落ちる

## エル・グレコ

最初から話を混ぜっ返すようだが、特異で美しい美術評論『エル・グレコのまどろみ』（與謝野文子訳、現代思潮新社、二〇一〇年）の著者ジャン・ルイ・シェフェールとは違って、私は美術館が好きではない。近代建築ではない個人美術館をのぞけば、むしろ嫌いである。ずいぶん長い間、美術館に行く気がしなかった時期がある。どうしても行くことができなかったのだ。だがなんとシェフェールは絵を見に来たミニスカートの女の子たちとグレコの絵を調和のなかで眺めることができるらしいのである。それは視線の背馳や窃視と背中合わせになっているが、エル・グレコの場合は特にうまくいくらしい。あまり物を見ていない身体や魂（美術館はそういう場所だ）は逆にこちらが物を見るときの助けになり、それやこれは「人生の妙味そのもの」のなかにあって、そのせいで美術館が好きなのだとシェフェールは言う。絵の方が、逆に人の顔、立ち居振舞いを際立たせ、そのスタイルや姿勢を我々の目にはっきりと映し出させることができるからだ。これがシェフェールという人の独特なところである。彼の言う「類似」の観念もその発端においてこのことと無関係ではないのだろう。絵を見る、つまり要するに「覗き」をしているのだ、とシェフェールは言っている。

余談だが、絵の見方ということで言えば、私はレオス・カラックスの映画『ポン・ヌフの恋人』のなかのあるシーンが理想的な絵の見方だと思ってきた。ほとんど目の見えなくなりかけているジュリエット・ビノシュ扮する元画学生が、夜のルーヴル美術館に忍び込み、乞食の老人に肩車をしてもらい、蠟燭で間近からレンブラントの自画像を食い入るように見つめるとても美しいシーンがある。冬の夜、人気のない凍てついた建物。静まり返った部屋。音楽はない。見つかって捕まるかもしれないという不安、高鳴る心臓の鼓動。蠟燭のたよりなげな微光。レンブラントの自画像自身の視線、こちらの行動を見透かしたような、射るような眼差。だが会話はない。霊的会話を別にすれば、語り得ることはない。ナルシシックな芸術のコミュニケーションは途切れ、完全に捨て去られる。音もなく、ナイフで切られるくらいのますます分厚くなるような暗闇のなかで、口を閉ざした、ひっそりとして暗く貧しくそれでいて豪奢な絵。眼差だけの絵。絵との対話はこんな風に行われなければならないのだと私は思っていた。

閑話休題。

ライナー・マリア・リルケはこんなことを言っている、「あちら〔トレド〕では、塔、山、橋といった外側の事物は、すでにそれ自身のうちに、内的な等価性の、前代未聞の、乗り越え難い強度を内包していたのですが、その等価性を通してこそ〔グレコは〕事物を描きたかったのです。出現としての幻とヴィジョンは客体において言ってみればいたるところで一致していて、ひとつの内的世界が、まるごと塔、山、橋それぞれのうちにさらされていました、あたかも空間を包含する天使は盲目であり、自分自身の内側を見ていたとでもいうように……」（『手紙』）。

すばらしいリルケ！　ともあれ、そんな風にリルケは手紙の一節に書いているが、これこそ私にとってグレコの「トレドの眺め」という奇妙な風景画を的確に評した言葉と言えるものだった。当時、こんな風景画はどこにもなかったし、グレコ以外の誰も描いていなかった。

鳥の囀りがリルケに対して完璧な空間を、扇を開くように開いてみせたが、最初は内でも外でもなかったこのトレドの風景は、同時にそれ自身のうちに完全な外部空間を有しており、あるいは内側から、つまり死の領分から見られたような世界は、それ自体において完璧な内部空間を有していたということになる。そしてかつてそうであったものは、今そうであるところのものとなった。リルケはそれを薔薇の内部と呼んでいた。

鳥は落ち、町は息づき、滅びつつある。というか滅びる前の姿をこの世のものではないような光のなかで我々に示していた。すべての文明は滅びる運命にあるが、最後の姿はそのつど目の覚めるような新鮮さのうちにある。ジャン・ジュネは物を見るたびにそれが最後のイマージュだと言っていたが、これこそ最後の、つまり最新の風景である。鳥の歌が聞こえ始め、鳥が空から落ちてくれば、空間はそこで完成するだろう。「内的な等価性」とは、空間の縁が内側に曲がり込み、溶け出し、我々と同じように不分明になり、揺らいでいることの逆説的な証明である。

天使。なぜ天使なのか。もはや「人間」の側だけから世界が見られてはいないからであって、それだけでは不完全だからである。「天使は、グレコにおいて、もはや人の姿をしてはいない……その本質は流動的である、それは二つの王国を通り抜ける流体なのだ……」（リルケ）。

他の例を挙げれば、ジョットの描く天使はどれも足のほうが消えている。つまり二つの王国がそこにあって「あちらの王国」から「こちらの王国」に天使が移動し、こちらの空間にやって来たことを示している。絵に描かれているのはこちら側の空間であり、この世の王国である。足の先だけがまだあちらの空間に残っているが、それは目には見えない。したがって流体である天使は、それが通ることによって空間の尺度となり、空間を包含した存在者としてあるのだから、天使が横切ることで空間自体もまた変容するばかりか、その本質的様態が示される。そしてそこにある空間自体が天使によって何らかの影響を受けるのである。ちなみに十四世紀フランチェスコ派の神学者ドゥンス・スコトゥスもまた、天使に関して、いま引用したリルケと同じような考えであったことは興味深い。だからこそ天使が通ると座がしらけることになる。「Un ange passe. 天使のお通りだ」というフランス語の表現は、誰もが黙り込み、会話中にふと沈黙がもたらされることを指している。空間が沈黙するのである。

それは我々の場所なのか。内と外？　ここでは、対象を見つめることは、的を外すようにして的を射ることである。絵を前にして、私は途方に暮れ、何かの序曲の始まりのように静かに、緊張し、あるいはだらしなく身構えざるを得ない。ジャコメッティが言うように、距離はひとつの全体である。それを見る私はつねに外在化し、同時に内であり外であり、内の外、外の内と等価なものとなる。距離の向こうに空がある。グレコの空は聖人を描いているときでさえいつも嵐の直前の空のようだった。恐ろしい、それでいていたずらで「快活な」裂け目、雲でないような雲。ヴァン・ゴッホの空とはまた別の予兆がある。すでに終わってしまった、終わりかけている、終わり続けている何かの予兆。スペイン語で「ロコ」（気違い）と呼ばれていたグレコ。彼の暮らしたトレドの美しい町並み。トレドには空がある。生者と死者と天使たちに対して同時に厳として現前する町。丘。十六世紀、天正少年遣欧使節団の長崎の少年たちが訪れたこともあるこのトレド。人が住んでいるはずなのに、人間の住めないような不思議な古い建物。草、生い茂る草。木は少ししか見えない。山、禿げ山。この絵はほとんど麻薬だった。私は十代の頃から訳もなくエル・グレコのこの絵が好きだった。このギリシア人。グレコにとって、ヴェネツィアはただの通過点、色彩のための、赤と緑のための仮の宿、恐らく青春の暗い一ページにすぎなかった。

二〇一二年の展覧会ではじめて見ることのできた「シナイ山の眺め」もとても不思議ないい絵だったが、恐らくローマやヴェネツィア絵画の影響の跡をまだ残していて、同じ風景画の範疇にあると言っていい「トレドの眺め」と比べてみれば、「トレドの眺め」がいかにその独自性において抜きん出た絵であるかということがよくわかる。「トレド」はとにかく変なのである。私はずいぶん前にすでにほとんどこの絵に取り憑かれてしまったと言っていい。あれらのどこか幽霊じみた建物が私のなかに入り込む。それが私に棲みついている。そしてある意味でこの世に存在していないかのような建物のなかに私は入ってみようとする。憑依の波長がどれほどのものか測って確かめてみなければならない。

グレコの絵全般にはもうひとつ特徴的なことがある。グレコの人物はどれも長く伸びている。人物のプロポーションはどう見てもおかしい。というのも人体自体が、他の物体と同じように妄想にとらわれているか、あるいは誰かの妄想か夢のなかにあるかのようである。

眼差は？　眼差はつねに上を向いている。フランスの批評家で英文学者のジャン・パリは、『空間と視線』（スイユ、一九六五年）という本のなかで、グレコの空間を「上昇する空間」と呼んでいた。上を向いた視線は空間との関係、ひとつの内包関係において、瞬時における反作用あるいは拒絶において、当然のことながら空間の質的変化を引き起こす。空間自体が延びているのだ。だがその前に「オルガス伯の埋葬」という絵を見てもらいたい。上部と下部は完全に分かたれている。というか分離が、なんというか、分離それ自体がどこかへ向かって離脱し始めるのを余儀なくされている。上で起きていること、下での出来事。天は混乱している。天は地上の場所を反射し、映し出していることに限られるわけではない。真の反射はそれ自身のうちにあり、自ら発光しなければならず（光源はどこにあるのだろう？）、限定されることがない。だが上と下を同じ次元で描くにはグレコは嘘をつく必要があった。そうであれば、どうすればいいのか。上部が下部の夢想、もしくは信仰であってはいけない。少なくともそんな風にグレコの絵を夢想することは私にはできない。上と下は分離されてはいるが、上と下の出来事はここでも同時に起きていなければならないからである。急げ！　たとえ冒瀆であろうと、神のドラマはルネサンス以来天ではなくこの地上で起きている。

ニーチェが言ったように、重力はいつも敵だった。例えば、ベルニーニのバロック彫刻ははっきりそのことを示していて、空中浮遊を開始したばかりの石の恍惚のうちにある。大理石の聖女はほとんど浮遊しかかっている。しかしグレコが、ギリシア風、ヴェネツィア風、ローマ風をやめたグレコが、グレコになるためには、空間自体が引き延ばされていなければならなかった。通常の空間の概念はここでも破綻する。その内部にある人体や事物もろともそれは引き延ばされる。そしてジャン・パリが述べていたように、空間自体が上昇を開始するには、人物の足は重力の影響をこうむったまま、地獄または煉獄、あるいは地上に向かって降りて行かねばならない。だからグレコの描く十字架上のキリストの足は変な方向に微妙に折れ曲がっている。グレコにとって天国・煉獄・地獄はまったく階層をなしてはいないが、我々の足下は限りなく下に向かって延び、直ちにそこで絶対的な停止をこうむらなければならないのだ。

だが頭は？　上の方は？　上の方を向いた頭？　足は下に向かって引き延ばされていたが、この両方へ引き延ばされた様態はグレコの空間表現にとってだけ典型的なことだったのだろうか。だが奇妙な形で「重さがない」ことは、もちろんグレコにだけ特徴的なことではない。そもそもバロック芸術の空間は四方八方に膨張しようとする（グレコの場合は上と下である）。当時の宇宙論に照らしてみれば、なぜかはすぐに理解できる。ケプラーの宇宙。木星の衛星の楕円軌道。ビッグ・バン。ジョルダーノ・ブルーノが言ったような多世界。幾つもの太陽。多元宇宙。ギリシア的で、理想的で、神的な「円」はすでに歪んでへしゃげている。歪形《いがみなり》はバロック空間の特質である。真円を描いた神的理想というその原基はすでに変容されねばならなかった。

そしてこれらのタブローに塗られた灰色、緑、赤。独特の反射あるいは発光現象。グレコの絵には独特の光がある。これらの光、これらの微かな、別の世界から射してくるような光。さっきも言ったが、光源はいったいどこにあるのだろう。内側から発光しているような赤ちゃんキリスト……

光は観察されたひとつの光になっている。（……）光は、自然における諸変化のもたらす結果のカタストロフ的度合い、宿命的ないし悲劇的度合いを測っており、自然が人間に課す形相的・質料的な可変状態を表している。その自然というのはエル・グレコの画中、人物たちの背後に立ち、または下に潜み、彼らの代わりに、いかなる神の助けもなしに、いっさいの寓話のアリバイを借りずに、変化を遂げ、独りで語っている自然なのである。光は、厳密に観察されたひとつの光であり、夢想の光である。ころげる灰色のなかには、夢の素材そのものと物質のうちの何かがそこに濃縮されている。

（ジャ・ルイ・シェフェール、前掲書）

「独りで語る自然」は空間の内側と外側を手品のように裏返すのではない。光を注意深く観察し、その光を浴び、そこにあって、我々の目とともに、世界自体が物理的に変質するグラデーションの微妙さを再び確認しようではないか。グレコの色彩は物質というよりも空間の変化の度合い、シェフェールの言うように、それは自然の悲劇的度合いであるが、だからといってこの光が「ひとつの人間性」であるとは私には思えなかった。それとも世界と自然が移入し合うある種の「感情」があるのだろうか……

「福音記者、聖ヨハネ」を眺めてみよう。彼はほんとうに使徒ヨハネなのだろうか。そうであって、そうでないのではないか。そんな考えがふとよぎる。彼が天使でないことは確かである。でも彼は毒杯をあおっても死なないらしい。福音記者なのだから、最初のジャーナリストのひとりだが、そんな風には見えない。だがそれでも彼は人間なのか。それにキリストはどうか？　カトリック教義の話をしようというのではない。神人同型説を問題にしようというのではない。グレコのキリストもまたどう見ても奇妙である。いったい彼は何を描きたかったのか。タブローのなかで、彼は、彼らは生きているのか。それともグレコのこれらの登場人物たちは死者の振舞いを知らない死者なのだろうか。青ざめたままの生ける死人なのか？

スピノザ『エチカ』より。「…人間の身体がその本性とはまったく異なる他の本性に変化し得ることが不可能ではないと私は信じている。人間の身体は死骸に変化する場合にだけ死んだのだと認めねばならないいかなる理由もないからである」。

身体の他の本性。空間のなかで、別の光のもとで変質する身体＝物体とは何なのか。死者、生者、天使の本性をもつもの……。あるいは第四のカテゴリーがあるのだろうか。しかしスピノザがたぶん言いたかったようには、絵のなかで子供の身体は大人の身体へと変化したりはしない。グレコの描く人物はこれらの範疇にはまったく属さない。はたして死骸は死者なのだろうか。だが、死者は必ずしも死骸ではなかったのだ！　死者の全歴史において、少なくとも死骸だけがあるとは限らない。死者は歩いているではないか。死の本性？　生の本性？　よくわからない。だから他の本性をもつものを探しに行ってもたぶん無駄なのだろう。とはいえ人であること、おまけにそれがそこで生きているのは、それほど確実なことだったのだろうか。

もうひとつ別のことがある。この聖ヨハネの絵でも特徴的なことなのだが、その衣の異様さである。この展覧会を見て、私にはそれがとても印象的だった。これらの衣には、ジュネが「レンブラントの秘密」のなかで語っていたような、レンブラント描くあれらオリエントの人々の纏う異様な服飾の華美さはない。幾つかある聖ヨハネの絵を比べてみればいい（今回の展覧会で展示されたヨハネは私がはじめて見るヴァージョンだった）。他のヴァージョンとの微妙な変化が衣の大きな襞の具合にあることが、つまりグレコにとっていかに衣の状態が重要だったのかが見て取れる。近くで見ると荒く塗られた衣の筆触は、同じスペインの画家ベラスケスの絵がそうだったように、遠くから見るとリアルに光り始める。だが明らかにベラスケスの衣装とは違う。ベラスケスにとって、例えばマルガリータ王女の服装はひとつの全体を形づくるものだが、グレコの衣はそうではない。それは細部ですらなく、絵自体が幾つかのモチーフに対して一種の「瑣末さ」を要求しているかのようなのだ。

そして視線という視線はやがて衣に収斂していくかのようだ。誰の視線なのか。勿論、画家グレコ本人の視線である。私もまたたまたまそれを目にしたわけだが、グレコは明らかに自分の描くタブローにおいてヨハネの衣をひそかに注視せざるを得なくなっている。横目でだろうか。だから明らかに視線の移動がある。絵を「はずしている」のだ。グレコにとってヨハネの聖なる物語などどうでもよく、ほんとうはこの衣を描きたかったのではないかとさえ私には次第に思えてくる。彼は教会と何度か悶着を起こしたようだが、これは彼独特のユーモアだったのではないか。グレコはカラヴァッジョと同じように教会に復讐していたのか。ギリシア時代の絵を見ると彼が画家として凄腕だったことが一目瞭然なのだが、彼の「へたうま風絵画」、誰もが知る後半生のグレコ風の絵は、衣を筆頭に、壮大な悲劇的ユーモアをその裏地としていたのではないか。彼が気違いだったとすれば、彼の「狂気」は、あの「空間」が示すもの自体を別にすれば、このユーモアと手を取り合っていたとしか私には思えないのである。

# 瞳は訝する

楠森總一郎

楠森總一郎の人物画には誰が描かれているのだろう。これは誰かであるのか。画家は、どの画家もそうであるように唯一の画家として、いままで何を見てきたのだろう。そこにはそのつどはじめて見る対象や風景が確かにあったに違いない。何の変哲もない日常の対象は、そのままそれが夢のなかに消え、あるいはそこで訳もなく己れを主張するときの微妙な繊細さを帯びていたであろうし、目の前の風景はいつもそのたびに最後の、黙示録的な風景を映し出すものとなったに違いない。そして眼の奥にはあまたの像が形づくった忘却の層が積み重なっていた。鏡はすでに割れているか、曇っていたかもしれない。鏡自体がもう誰を映しているのかわからないのだ。それは絶望的なことだったのだろうか。それともある種の法悦なのか。それにしてもこれらの人物画は言うところの忘却から這い出してきたしかじかの「肖像」なのか。画家を熱狂させたモデルがいたにしろいなかったにしろ、結論を先に言えば、それが肖像であるとすれば「誰でもない人」の肖像であるほかはないのだし、けっして誰かになることもない。

勿論、戯画的クリシェは追い払われたか、破壊された後である。私は宗教画や歴史画を前にしているのではないし、物語は重要ではない。もう物語はない、なしだ、作家たちはそう言っていた。説話論的誘惑など金輪際ないだろう。そんなものはすでにどこかで耳にした戯言《たわごと》でしかなかったかもしれない。しかし「誰でもない人」を前にしてあらためて肖像画の美しさとは何なのかと問うてはみても、私にはこれに答えることを先送りするしかないことがわかっている。「誰でもない人」こそが、最大限の賞賛と最大限の嫌悪を引き起こすことがわかっているからだ。ジャン・ジュネがレンブラントやジャコメッティの作品について言っていたように（ジャン・ジュネ『アルベルト・ジャコメッティのアトリエ』、鵜飼哲訳、現代企画室、一九九九年）、それは「差異」ではなく「類似」を白日のもとに暴き出すからである。我々は、ほとんど我々の苦しみの源泉を覆い隠すような、時間の経過のなかにある、個の特質の外にひとたび出ることができるなら（それはつねに起っていることだ）、全員が、全員の意に反して、似ているのである。それが我々自身の破滅を示している場合を含めてである。肖像画や人物画はこのことと無関係ではあり得ない。

こんな風にして画布の尊大さ、豪奢、あるいは貧しさのなかに、時には極端でやけくその傾き、その急激な、あるいは緩やかな同一性の傾斜があるのが見えるときがある。この傾斜は何かしら時間の振動のなかで、あるいは停止したと錯覚したはずの瞬間において生み出されたように思えるのだが、この傾きとともに、（ジョルジョ・モランディの絵画がそうであったように）まるで絵が絵のなかに避難でもするように、肖像画と静物画は私の眼の前で等価なものとなる。何から避難するのかはほぼわかっているが、それをそのつど自分自身に対して正確に推し量ることはできない。最も惨めな物質のなかに移行したものすべてが混ざり合うことによって、最も貧しいもの、みすぼらしいものが照らし出されるだろう、とジュネは言っていた。その意味で、闇をまぶされた楠森氏の「銀の匙」や「古い瓶」はそれでも光の証言のように見える。たとえあの類縁性の暗闇のなかにいたとしても、照らし出されたものがあるのだ。

しかも我々が二十世紀か二十一世紀にまだいるからなのか、静物画はもはやVanitas（虚しさ）だけを寓意したりはしないように思われる。いまでも花は枯れ、果物も魚も腐り、ナイフはテーブルから落ちかかっているとしても、少なくとも往時のVanitasの意味は変質せざるを得なかった。二十世紀に身体＝物体の様相がすっかり様変わりしてしまったからである。意匠は変わらずとも、それに対する画家の意図はすっかり変化したように見える。ルネサンスの芸術家たちと比べて、現代画家の意図が退化せざるを得なかったことはここで問わないとしても、美学が感覚の論理であるとすれば、それは論理的な事態であった。だがほんとうにそうなのか。

では、そこにあるのは虚しさではなく、あの「傷」だったのだろうか。デッサンは裂傷であり、裂け目であり、振動と透過と抹消による物の輪郭の亀裂であるが、ジュネが言うように「美には傷以外の起源はない」としても、タブローの「厚み」はそのあからさまな無数の傷を覆い隠してしまうように見える。絶望のあまり、それとも不安にかられて、虚勢を張るいとまもなく、油絵はその裂傷を壁のなかに埋められた黒猫のように自らの孤独のうちに塗り込めてしまう。だが孤独は手つかずのままだ。郷愁はない。悪意も悪辣さもない。心理的動揺を示す描線もない。時間と官能がただ過ぎてゆく。後で壁のなかから掘り出される生きた黒猫が鳴き声を上げるだけだ。だが、傷口はあまりにも大きく、茫洋としたものであり、したがって我々の知られざる背景となって久しいのだから、何としてもその深淵からはそれでもかすかな光が射してくるのを見なければならない。君だって、画家の円熟期その他のことなどまったくあずかり知らない地点で、傷、裂傷、裂け目が光を発しているのを見たではないか。そのような絵画は奇跡に思える。楠森總一郎の肖像画にはかすかな光が当たっている。とりわけ幾つかの絵では光は部分を照らしている。私はそれを見て、光のほうへ吸い寄せられる。これらの光は液体のようでもなく、凝固もしていない。でもやはりわからないことがある。いったい光源はどこにあるのだろう。

ジャン・ジュネの「レンブラントの秘密」からここに是非とも引用しなければならない。

人生の終わり頃、レンブラントは善良になった。悪意が彼を縮こませるか、彼を粉砕するか、はたまた彼を隠してしまうにせよ、悪意が世界の間の遮蔽幕になる。悪意ではあるが、しかしあらゆる形の攻撃性であり、そして我々が性格の特徴、我々の気分、我々の欲望、エロティスムと虚栄と名づけるものすべてである。だから遮蔽幕を破れ、世界が近づいてくるのを見るためにだ！　だがこの善良さ——あるいは何なら超然たる態度——を彼が追い求めたのは、道徳的や宗教的な規則（もし芸術家が信仰をもつとして、芸術家が信仰をもつことができるのはただ放棄の瞬間においてだけである）を遵守するためではなかったし、何らかの美徳を手に入れるためでもなかった。彼が彼の性格と名づけ得るものを火にくべるとすれば、世界についてのより純粋なヴィジョンをもつためであり、そのヴィジョンによってより狂いのない作品をつくるためである。結局のところ彼は、善人であろうが悪人であろうが、怒りっぽかろうが忍耐強かろうが、貪欲であろうが気前がよかろうが、どうでもよかったのだと思う……。もはやひとつの眼差しとひとつの手でなければならなかったのだ。おまけに、そしてこのエゴイスティックな道を通って、彼はあの種の純粋さを、彼の最後の肖像ではあまりに明白なので、そのためにほとんど人を傷つけるような純粋さを獲得——何という言葉だろう！——しなければならなかった。しかし彼がそれに辿り着くのはまさに絵画という狭い道を通ってなのである。

（ジュネ、前傾書）

レンブラントでさえも、残されたのは絵画を前にした、イーゼルの前に立つ自分自身だけであり、まだ何も描かれてはいない最後のタブローだけであった。絵画というあの隘路！　瞳に映ったもの。それは抽象画ではなかった。

最後の肖像で彼はそっと笑っている。そっと。彼はひとりの画家が学び得るものすべてを知っている。そしてまずこのことを（たぶん、ついに？）、つまり対象から画布へと向かう眼差しのなかに、だがとりわけ色彩の小さな水溜まりから画布へと向かう身振りのなかに、画家は完全にいるのだということを。

（前掲書）

画家は絵を描くことしかできない。何ということだろう。私は羨望とともにそのことを思ってみる。眼差しは普段は存在さえしていない。誰も何も見てはいないことはわかっている。だからこそ対象と眼、あの隔たりのうちには、世界が震え、動揺している証しがあるのだ。

我々は絵を見ていると思っているが、絵のほうも我々を見ている。我々はすでに絵に見られているのである。もしそうでないなら、絵画など何物でもないではないか。視線が交差する。絵のなかの瞳のなかに誰かの姿が映っている。どの瞳なのか。絵のなかの肖像の瞳、描かれた瞳、描かれそこねた瞳、描かれなかった瞳、我々自身の瞳、呆然と絵を見ている我々の瞳……。画家の手を逃れるものがある。それとももっと別の「絵の瞳」があるのだろうか。瞳に映っているのは私なのか、彼なのか。

インドの教典『リグ・ヴェーダ』や旧約聖書の『イザヤ書』は、彼はそれであり、つまるところ私であると言っていた。もし彼が、それが、私であるのなら、光の介在は偶然によるものではない。絵画的な光も同じである。もう一度言おう、こうして私が手をこまねいていても、そんなこととは無関係に、いまにも画家の手を逃れてしまうものがあるのがわかる。絵のなかの人物が我々を見ているように、世界の端々に注がれる画家の眼差を透過して、その向こうに、傍白のようなものがある。言うまでもなく、タブローの解説などではない。どうでもいい解説など不要であるし、無意味であることは誰もが知っている。私は、たとえそれがおおよそ不可能であることがわかっていても、何とかしてタブローと同じ次元（残念ながら他に言葉が見つからない）にしかと佇んでいたいといつも思う。絵に見られたのなら、幻想のなかですら、絵であれ何であれ、作品のなかに入り込まねばならなかったのだ。どんな作品を前にしても、我々はつねに古代エジプトのオシリス像を前にしていると考えねばならない。それが鑑賞者としての私の流儀である。

だから解読の雑音ではなく、無言のまま、絵を見ている観客にだけ聞こえていて、画家自身にも、場合によっては、画家の分身にすら聞こえないタブロー自体の囁きのようなものがあったのだと思われる。急降下したり、緩やかだったりする旋律のようなものが。そしてさらにタブローの上からだけではなく、このわきぜりふの囁きの内側に、明らかな視線を感じてしまうことがあるのだ。まるで別の世の不可能な芝居に巻き込まれでもしてしまったかのように、誰もいないばかりか存在さえしていない劇場に入り込んでしまったかのように。君だって、この囁きが聞こえ、それに耳を傾け、背後からの視線を感じたことが幾度かあるような気がしているに違いない。

「そこが劇場の入り口だよ」

「劇場なんかどこにもないじゃないか」

私には扉の内側に何もないことは最初からわかっている。こうしてただ声のなかに幾つもの眼がそっと入り込むのである。


光自体もまた確かに眼や声の片割れを残像のようにつくり出すが、すぐさま光は薄れ、いずれは消えてしまうだろう。タブローの光自体が消えてしまったのだろうか。そんなはずはない。光をアリバイにしてそこに何らかの心理的表示があったとしても、だからといってそれを読み取る必要などまったくないと私は考える。私のまわりでじっとしている物を注意深く見つめるようにして、そのことをあらためて思ってみる。あたりに夜の谺《こだま》が満ち始め、遠くで、またしても視線が谺する。私が君を見ているだけではない。君こそが私を見ている。絵のなかで？　闇のなかで？　どこでなのか？　わからない。私の震える視線は彼や彼女のそれと交わり、彼や彼女が私を見ていることを私は知っている。トリスタンとイゾルデのように？　何かの予感のごとく、かすかな官能の波が静かに押し寄せる。視覚のなかにも明らかに半音階がある。でも君も彼も彼女もそもそも存在などしていないじゃないか。少なくとも、それがかつてあったように、存在していたことがあっただけである。君にしろ、彼にしろ、彼女にしろ、はたまた私にしろ、ここでも他処でもそのままの形で復元することはできそうにない。ただぼんやりと絵を見ているだけにすぎない私にとってはなおさらである。

描かれる前に、描かれると同時に、完全に燃焼され尽くしたものがあちこちで燻っているだけだったのだ。名づけられなかった、瞳のなかの仮象のようにだろうか？　猫は猫の仮象であるが、それでいて猫そのものになりきっているのと同じように。ほら、再び彼がこっそり私を見ている。『エル・グレコのまどろみ』のなかでジャン・ルイ・シェフェールが、絵画的行為のみならず絵画を見ることを「覗き」になぞらえたのはその意味においてである（バルテュスの絵画にもそれを見て取ることができる）。猫のようにできれば確かに完璧なのだが、我々は飽きもせずに覗こうとしてばかりいるのかもしれない。だが、この眼差しの外では、そこここで、描かれた際のあの激情、その後のあの平安、誰もが知っているわけではないあの感覚は引き潮のように浜辺から引いてゆき、後には砂浜に残骸が残されるだけである。瞳のなかの幾つかのすばらしい残骸……。画布に描かれていたのはそれなのか。

楠森總一郎の具象画のリアリズム（他に言い方を知らないので、ともかくそう呼んでおく）には、一種の悲劇にまで高まるものがあるように思われる。闇のなかから発せられる、絵のなかに描かれた眼差しのせいなのだろうか。なぜなのかは私には正確にはわからない。いや、生半可なことは言いたくない。誰もが見て取り、その後すぐに忘れてしまうことを言ったとしても、何も始まらない。

アイスキュロス、ソポクレス、エウリピデス。ギリシア悲劇。最も取るに足りない人間の運命も神々の運命とともにあり、互いの相同性はいかんともし難い。むしろ運命の悲劇はそもそも神々の専売特許であったとさえ言っていい。神々は運命を我々に強いたのだとしても、神々自身が自分たちの運命をどうすることもできなかった。言うところの「悲劇」は、たとえ神々がすでに死んでいたのだとしても、恐らくシェイクスピアや、エリザベス朝演劇を経て、二十世紀のアントナン・アルトー（『演劇とその分身』）にまで通じているのだと思われる。アルトーはペストと演劇が同じものであると述べていたが、この悲劇とは残酷それ自体である。私は楠森氏の絵画が演劇を思わせると言いたいのではない。そうではない。ただ単に、もしこれらの人物に内に秘めているものがあるとすれば、それは運命であり、残酷であり、しかも巡り巡って「不正の神秘」（聖パウロ）であるからである。運命についてこれらの人物たちは何かを知っている。自分たちの運命なのか。知らないのは我々である。我々だけである。この独特のリアリズムは、それがわずかでも残酷さを帯びていないならば、別の絵画に席を譲っていただろう。そしてこの具象性は、闇のなかに浮かび上がり、我々をあからさまに指差すような、それともこの切迫した、あるいは何かが起こった後に痛恨とともに思い知らされる我々自身の世界のなかの残酷によって、抽象的なものとなるのである。

このあたりで愛すべき少年アルチュール・ランボーを引用したくなった。楠森氏にも私にも少年時代があったはずである。

びっくりした俺たちの四つの目にとって、世界がたったひとつの黒い森になってしまうとき、——忠実な二人の子供にとって、ひとつの浜辺に——、俺たちの明るく澄んだ共感にとって、音楽の聞こえる家になってしまうとき、——俺はおまえたちを見つけるだろう。

この世に、「未曾有の豪奢」に取り囲まれた、たったひとりの穏やかで美しい老人しかいなくなるのなら、——それなら俺はおまえたちにひざまずく。

俺がおまえたちのすべての思い出を実現したのなら、——俺がおまえたちをがんじがらめにできる女であるのなら、——俺はおまえたちを窒息させてやる。

（「文章」、『イリュミナシオン』所収）

世界の片隅で、四つの目はびっくりしている。びっくりした目は美しかったに違いない。ドイツの黒い森が見える。ランボーは大嫌いだった故郷を後にして歩いてそこへ行ったはずである。だが暗い森だけがあるのではない。私がたまたまいるこの世界はタブローのなかに閉じ込められ、楠森總一郎が描いた「厨房の少女」がこちらを向いて立っている。少女は言葉を失ってただ私を見ているだけかもしれない。私が少しだけ彼女に近づくとき、タブローとエプロンの汚れは目立たなくなるだろう。彼女は私に何の愛嬌も示そうとはしないが、エプロンは喪服ではないし、絵画技法でもない。焦点は合わず、何も見てはいないのに、目は恋い焦がれている。私は彼女が好きだ。そんな風に感じる。私は眼を閉じる。暗闇に光が射したとしても、瞼《まぶた》を貫くものは何もない。瞼は無傷のままだ。記憶はまもなく雲散霧消するだろう。確かに彼が思い出を実現したからなのだ（彼とはランボーのことなのか、さて、どうだろう）。

そこに未曾有の豪奢が、古代の立像に似た不動のものが、達観と悲哀と諦念が、あの女神らしきものが舞い戻るだろう。さっきから口のなかに灰の味がしている。鳥が屋根をかすめて飛んでいる。この「厨房の少女」はいつまでも死ぬことはないのに、私は死につつあるのだとあらためて考えてみる。かつてあまりにも生命に溢れていたために、あの秘密の領域で死を知ったと思ったというのに、実際には死を知ることなどできなかったがために、生きるべき時間はもう一秒たりとも残されてはいなかった。そんな風に私の尊敬するあの男は語っていた。

一瞬、一瞬をやり過ごすために、私は自分の眼のなかに閉じこもるだろう。あの木陰が見える。思いがけず、今日、空は素晴らしく晴れ渡っている。タブローのほうに向かって、凝結した心の底が流れ出す。それは紛れもないひとつの僥倖である。

# 非本質としての絵画

## ジョルジョ・モランディ

二十世紀イタリア・ボローニャの画家ジョルジョ・モランディの絵画には、詩人たち、もっと広く言えば文学的直観を旨とする人たちに与える感覚的与件がたしかにある。モランディの絵画に魅了されるこの種の人たちが少なからずいることは容易に想像がつく。白状すれば、ご多分に洩れず私もそのひとりである。しかしそれは、すぐさま、その場において、必ずしも詩人たちの感覚的予見とはならないだろう。与件と予見の間には隔たりがあるし、それこそあまりにも不透明な壁がある。ジャン・ジュネの『アルベルト・ジャコメッティのアトリエ』がそうだったように、目をみはるような、それを読んだ後では世界が一変してしまうようなモランディ論を私はまだ読んだことがない。モランディについて書くことは非常な困難をともなうのである。おそらくジャコメッティについてよりさらにもっと。つまり我々はモランディを必要としているが、モランディの絵画にとって我々の文学などあずかり知らぬということである。

モランディの絵画には詩のエッセンスが反射されるぼんやりとした光があるのだろうか。彼のアトリエに射す淡い光、現実的でも非現実的でもある光は、なるほどピエロ・デッラ・フランチェスカの色彩を思わせるが、しかしそれはモランディの絵画が堂々たるイタリア絵画の遥かな伝統のなかにあるということであって、それがどのようなものであれ、これらのイマージュがたとえイタリア風であっても、別の「詩情」の光の源とは運よく関係づけることができそうにない。この場合、絵画と詩は相容れないものではないか。言葉が介在するなら、実在あるいは実在のイマージュというものをめぐって、経験の場所があまりにも違うのだ。

物の外観はいかに現実のなか、さらに幻想のなかにあろうと、もはや通常の物語を示すことはできない。イマージュの奇矯さというものに関して、二十世紀のアヴァンギャルドの画家たちもまたそんな風に考えたし、そこから絵画の新しいエロティシズムというジャンルも生み出された。モランディの描いた絵画は、その伝統的なタイトルどおり、「静物」、「花」、「風景」だけである。物をめぐる最小限の輪郭だけがある。そこに徴《しるし》（シーニュ）をほんの少しだけ見てとることができるとしても、描写の芸術としてそのシーニュはほとんど意味内容を欠いている。意味内容を欠いたこれらのまとまり全体は、それこそそのまま絵画の一ジャンルではなかったのか。しかし伝統において物語なるものはそれがどのようなものであるのかすでに暴露されたのであるし、新しい物語を予感させる新たなジャンルはなかった。あちこちでジャンルに対する拒否の身振りが主張され生み出されたにしても、二十世紀のいわゆるアヴァンギャルド絵画よりも、モランディの絵画にこの種の物語を読み取ることはさらに困難であるように思われる。若かりし頃、モランディが接近したイタリア形而上派の首領ジョルジョ・デ・キリコの絵には、形而上学的にしろそうでないにしろ、まだ説話的物語が歴然としてあったのだし、キリコが後に神話をテーマとするようになったのは必然的であった。モランディが描いたのはもっと別の事柄であり、別のエッセンス、あるいは非本質であるように思われる。これについては後に触れることにしよう。

タブローの静寂は平安のなかにあるとしても、モランディの絵画は物の戯画的特徴を何ら示してはいない。ほぼ同時代の画家であるフランシス・ベーコンが自分の絵画を説明するにあたってことさらにイラストレーションの観念を拒否したように、モランディの場合もまた、出発点においてそのままでイラスト的要素からすでに遠く隔たったものとなっていた。厳密な意味で、実在の繊細さに関わるものはイラスト化できない。したがってモランディの絵画のなかの数少ないシーニュが何かを例証することはないだろう。いかに物語がつけ足され、物語が差し引かれようとも、事物の価値や正しさが例証されることは決してない。もっとも壜、水差し、湯呑み、花壜、造花、窓から見える風景、たったこれだけのモチーフは、はたして絵画の外に実在があるのかどうかを我々に思案させるにしても、画家にとっては、これらの実在との関係を深さにおいても表面においてもまったく失っていないように思われる。しかし、繰り返すが、それでいて存在としての物の戯画的性質などというものからあまりにも遠い絵画というほかはないのだ。

モランディにとって、絵画的行為の外にある実在は物ではなく、まだ物の外観にすぎない。たしかにモランディは別の仕方で物の外観を描こうとしているが、絵画にとって、目にとって、ヴァン・ゴッホの絵画がそうであったようには、生（生活）のさなかにある想像を超える実在、もしくは生の実在は描かれてはいない。そしてモランディの描くこれらの壜たちはレンブラントの自画像のようなモラルや精神性を、画家に対しても我々に対しても何ら要求することはない。やはりこれらの絵画に、たとえそれが無為や物の愚かしさを示したものであっても、物語《レシ》や歴史を読み取ることはできない。たしかにそうである。

だが可憐に見えもするこれらの壜たち、平穏のなかにそっと佇むその壜たちが囁き合う声、はたまた壜たちの不動の身振りがかすかに聞こえ見てとれるような気がする。それは一種の対話なのだろうか。いや、この対話からもまた言葉を聴き取ることはできそうにない。言葉ではなく、詩ではなく、音楽ではなく、それぞれのタブロー自体にとってかなり異なった不思議なコンポジションがあるが、それこそが対話なのかもしれない。組合わせによる形而上学的対話。モランディが描いた物の結合《コンビネゾン》は我々には独特なものに見える。しかしモランディはコンポジションの遊戯に閉じこもりはしないし、そのコンポジションが絵画の全体的意味を指示することはないだろう。それがいかに奇妙なアレンジメントを示すものであれ、これらの反復のなかにある物の配置はそれでも絵画における言うところの幾何学的構成を形づくってはいないからである。モランディはピカソやブラックではないし、カンディンスキーでもクレーでもない。

壜たちのコンポジションはいったいどこへ向かうのだろう。少しずつ、あるいはまったく異なる組合わせによって文字どおり死ぬまで反復される同一物のモチーフは、実在が不在に架ける橋が我々の目にも見えるものであることを示しているだけである。これらの物たちは次第にぼやけ、晩年の水彩画の場合には墨絵のようになろうとも、例えば初期のサイ・トゥオンブリの色鉛筆のシーニュや、逆に塗り重なった白い油絵具のように物の消滅を前提しているように見えることはない。壜たちがまだそこに在る。ぼやけてはいても、ひっそりとしていても、光と影がある。壜たちが生きているかのようにそこにいる。それらはある種の形で生きてはいるが、それは生を指し示しているのだろうか。さあ、どうだろう。いつもアトリエは静寂のなかにあって、画家の息づかいは聞こえない。ボローニャの淡い光があり、テーブルの上にはほんの少しの影が差していて、すべての壜や水差し、造花はうっすらと埃をかぶっている。それは画家自身が頑なに望んだことである。彼はアトリエの埃が、朽ちるがままの廃墟が保全されてはならないように、掃除されることを許さなかった。

静物、花、風景。これらの「静物画」はそれ自体あくまでも具象的ジャンルであると言っていいのだろうか。イタリア語で静物画は「ナトゥーラ・モルタ」、つまり「死んだ自然」である。英語やドイツ語では「スティル・ライフ（レーベン）」、つまり「静止した生」という言葉で表される。相反するように思えるこれら二つの言葉の意味は、ヨーロッパ絵画の歴史のなかで、画家たちにある種の違和感を生んだこともあった。モランディは自分の作品（静物画）をイタリア語で「死んだ自然」と名づけるしかなかったが、ここにはかつての寓意であるVanitas、つまり「虚しさ」がまだほのめかされているのだろうか。しかしこの伝統的な「虚しさ」は二十世紀において一挙に存在および存在の消滅のほうへ傾きはしないだろうか。虚しさを越えて、虚しさは傾斜し、物は在り続け、物は消滅する。そこには崩壊も腐敗も堕落も奈落も混沌も虚栄もない。それではこの「静物画」はモランディにとっての、彼ただひとりだけにとってのジャンルになったのか。ただそれでしかなかったとしても、この「静物」というそっけないタイトルが付与されることによって、それは彼にとってのひとつの絵画的「概念」を形成するものになったのではないか。新しい静物画という概念である。

モランディの絵画は具象的なものから発しているが、はたしてそれを具象画と呼んでいいのだろうかと考えてしまう。具象的なものはあっても、はたまた抽象画はあっても、あるいは人物画や歴史画はあっても、厳密な意味において、眼との関係においておや、「具象画」なるものがはたしてあるのだろうか。フィギュラティフなもの、具象派という言い方はあっても、日本語の「具象画」とまったく等価な言葉が外国語には見当たらないことに留意すべきである。それは通常我々が考えているようなジャンルであったのか。例えばベーコンにおいてフィギュラティフ、フィギュラルなものはその絵画の本質であるが、それでいてモランディの場合もそうであるように、その本質を一度に明らかにできる「具象画」なるもののモデルはそもそも存在していないのではないか。ベーコンにとってそのモデルとはいわゆる「具象画」ではなく、まさにアングルの女性像それ自体であり、ベラスケスその他のある種のタブロー、あるいは絵葉書、写真、描かれたイマージュそれ自体であった。抽象画家のもつ抽象的意図や身振りはこの際別の問題である。しかも写実と具象は別の事柄である。モランディの絵画、並べられた壜たちの全体のそれなりの変遷を見ているとなおさらそう思えてくる。

物の全体が光によってこの直射の光とは別の淡い光のなかに引き出されたのであれば、そしてそれによってそこでエッセンスと、それ故にそれとは別の非本質が表現されたのであれば、この絵画的行為は抽象的契機をともなっていたと言わざるを得ないのではないか。絵画によるならなおさら実在のなかには非物質性があることが確証されるのであるし、それは顕れつつある抽象性とほぼ等価である。モランディの絵画のなかには、まだ名づけようのない、まだ形にならないかく言う抽象性があるように思われる。しかし抽象性といっても、モランディの場合、フィギュラティフなものから抽出されたのは形の在り様ではなくあくまでも非本質である。モランディにかかれば物はまるで「声の肌理《きめ》」のように本質をもたないかのようなのだ。勿論、モランディの絵画のエッセンスは別の形でタブローのなかに、分析の外の現実がどのようにしても残存するのと同じく、残存するのを妨げることはできない。それにしてもモランディの場合、絵画のエッセンスはひとつの非本質なのである。

モランディについてイタリア・ルネサンスの研究者である芳野明氏と話をしていたとき、セザンヌとの類似点について彼が指摘してくれたことがあった。モランディの風景画についてどのように考えればいいのか私は困惑しないでもなかったのだが、モランディの風景画に描かれた何の変哲もない家はセザンヌの「首吊りの家」を思わせると彼は言うのである。なるほどセザンヌの風景画の影響があるかもしれない。私にもそう思えるところはあった。

モランディは恐らく別荘の窓から目にできる家の壁、あるいは近場の風景をただ描いたのだろうが、しかしこれらの風景画もまたセザンヌのそれとは違い、それでいてなおかつシーニュを欠いているのではないだろうか。いったいこれらの風景画には何が描かれているのか。モランディはいったい何を描きたかったのだろうかと考え込んでしまう。モランディの風景画にはセザンヌのように技巧的、絵画的効果におけるマッシフなところはほとんど感じられないし、セザンヌの風景画にある事物や出来事の重み、詩的であるともいえる重みを示すものがほとんどない。モランディの水彩画による風景を見るとそのことをなおさら感じざるを得ない。セザンヌもモランディも風景を見ているが、目の底に見えているものがかなり違うのではないか。モランディはセザンヌとは違ってやはり事物や出来事の中心的エッセンスを描いてはいないのである。

もうひとつ芳野氏が指摘してくれたことがある。静物画における視点の問題である。セザンヌは静物画を描くにあたって複数の視点を取り入れていたが、モランディの静物にもそれが見られると言うのである。セザンヌの場合は、視点の違いがかなり極端なので、現実にその複数の視点どおりに事を行うなら、実際にはリンゴや皿はテーブルから滑り落ちてしまう。モランディの場合、それは軽度の視点の違いであるように思われる。例えば花壜や水差しは真横から描かれているが、茶碗はほんの少しだけ上から見た視点で描かれるといった具合である。

このことはセザンヌとキュビスムの関係を云々するまでもなく、モランディの場合、形而上絵画時代の作品との連続性をある意味で示していると言えるのではないか。しかしモランディの場合、セザンヌとは違って、この視点の相違はセザンヌのように空間的なズレではなく、もしかしたら時間のズレ、時間の経過にともなう視点の違いでもあるかもしれないと思わせるところがある。形而上派時代の盟友であったカルロ・カッラの後期の不穏な風景画がとりわけそうであるように、時間の経過、あるいはむしろ連続しない複数の時間の断面が視点の違いを生み出しているのかもしれない。例えば、カッラは同じ風景のなかの同じ建物の影を異なる複数の時点で見られた影としてひとつのタブローのなかに同時に描いている。もしそうであれば、モランディにもカッラにも見られる風景や静物画のある種の「不確かさ」は、一方は平穏から、他方は不穏や不安から来ているにしても、時間をめぐる形而上学的不確かさと形容できるかもしれない。

イヴ・ボヌフォアは、『眼差しに関する注記』（カルマン - レヴィ、二〇〇二年）という本のなかで、ここ三十年来、若い画家たちに今世紀で最も尊敬に値する画家は誰かと尋ねると、しばしば「ジャコメッティとモランディ」という答えが返ってきた旨を報告していた。これはかなり容易に察しがつくことである。彼らに共通するのはむしろ作品の傾向そのものや思想ではなく、モチーフへの執拗さ、つまり画家としての真摯真率さであるからだ。二十世紀にあってさえ、ジャコメッティとモランディはいまだ最も画家らしい画家なのである。

さらに共通点がある。画家としてのキャリアの出発において、ジャコメッティは抽象的造形の試みやシュルレアリスム運動の渦中にいたのだし、モランディで形而上派の洗礼を受けたことである。ところが二人ともその後前衛的アプローチや手法を捨ててしまい、それぞれが写生による対象への注視というそれなりに伝統的行為へと戻って、それぞれが独自のスタイルを創出できたことである。ジャコメッティは人物を主とする彫刻とドローイングの反復において、モランディは壜や水差しのモチーフによる反復において。このような普通に考えれば逆転したキャリアは、ジャコメッティやモランディの時代には通常かなり考えにくいことであると付言しておこう。

それにもかかわらずジャコメッティとモランディのこのケースにはひとつ違いがあると思われる。ジャコメッティは三十年代初頭に「人の頭が何なのかわからなくなった」ことによってアンドレ・ブルトンと諍いになり、シュルレアリスムから決定的に離脱する仕儀となった（ブルトンのほうは『狂気の愛』のなかで物の尺度の問題を持ち出してジャコメッティにそれとなく反論していたように思われる）。一方、先に述べたように、それに対して、モランディには形而上派時代の絵画的アプローチからの連続性が見られるかもしれないという点である。ジャコメッティには以前と以後の間には明らかに暴力的な断絶があるが、モランディにはそれは見受けられないということである。だが私にはこのことをただ指摘できるだけで、だからといって何かが氷解するわけではないことがわかっている。

あれこれ詮索しても、結論めいたことをここに書くことはとうていできそうにない。もう一度モランディのタブローを眺めてみる。物があり、淡い光がある。物と光。それは出来事の本質を全体的に描き示したものではないが、逆に極少の出来事が絵から現れるように思えるところもある。いや、そう思わせておいて、そのようなものとしての出来事はそれでいてなかなか顕れてはくれないだろう。それが私の言う絵画の非本質である。我々はそれがモランディのポエジーであると早とちりしたのだと考えたが、新しい詩情はどんな風にでもあるというのもまたほんとうである。それは物語ではなく、歴史ではなく、事件のない、あるかなきかの出来事である。その出来事は厳然たる事実を示しはしない。それは物語るどころか何も言わないのであるし、何の主張もしない。それでもなおかつそれはモティーフを反復することによってひとつの世界を創出し、物と光によって、「死んだ自然」と「静止した生」によって、それをタブロー全体に反映することだったと思われる。非本質である壜はひとつの完璧さであり、それがあるかなきかの出来事となる。

「記号、変質しない形象、その最終的な中身は死なのだ！　死に包囲された存在、完璧さ、それを出来事が内側から探している」（ジャン・ジュネ）。

そうであれば、ジュネの言い方に倣えば、まさに出来事のほうが内側から探しに行ったのは、生きているタブローの中身、壜の完璧さそのものであったということになる。

# 身景累ヶ淵

## フランシス・ベーコン

身体のカサネガフチがある。身体の風景が深淵を取り巻いている。それは深淵に、あるいはときには重力を無視し、上方へ向かって落下する。落下……。それは感覚の特質であり、崩壊や悲惨さとは何の関係もない。

三遊亭圓朝の怪談落語『真景累ヶ淵《しんけいかさねがふち》』の「真景」とは「神経」のことであるが、神経の累ヶ淵と身体の累ヶ淵はさほど遠く隔たってはいない。神経の淵と身体の淵はむしろ同じものである。いたるところで、ここで問題にしようとしている絵画以外の場所でも、そういうことがある。というか、そもそもそのようにして、つまり神経の淵と身体の淵が同じであるような地点で、身体は絶えず変容を繰り返し、蘇生し、触手を延ばし、涎を垂らし、排泄し、ときには糞尿まみれになって、死滅し、灰になる。しかもそれが身体の外縁、身体の外側を決定するのだ。病理学的に言っても、身体の内側を確定することはかなり困難である。それが身体の特徴である。

キリストは、カトリックのミサにあるように、「これが私の体である」と言ったが、この場合はキリストにならってこう言わねばならない。「これは私の身体そのものであって、同時に私の身体ではない」、と。だがたとえ究極的に栄光の身体が人間的事象についても言えることだとしても、勿論、栄光の身体だけがあるのではない。歯が痛む。そのとき私の身体はどこへ行ってしまったのか。心臓が手術台の上で取り出される。そのとき私の身体はどこへ置き去りにされてしまったのか。ただし断っておくが、私は社会的、政治的、制度的構築としての身体のことを言っているのではないし、この身体は医学的身体や美学的身体ですらない。それでは話が逆なのだ。蛇足ながら、「器官なき身体」を社会的網状組織のモデルのように社会学的にだけ考える人がいるが、まったくの誤りである。論点後取の虚偽である。

「いかにして絵画は神経組織に直接触れるのか」とフランシス・ベーコンは問いを立てたが、ベーコンの絵を見ていると、神経と身体がほぼ同じものであるいくつもの契機が彼の絵画のなかには確実にあるのだということがよくわかる。それがベーコンの「絵画」の常態であり、彼の芸術である。これは両者が単に同一の平面にあるということではない。直接的介在がひとつの直接性によってひとつの全体を一気に生じせしめるということではないし、直接的接触がひとつの統合を形づくるということではない。神経が身体を外に出そうとしたり、追い払おうとしたり、あるいは逆に神経が身体を保護的存在、ひとつの有機性、あるいはひとつの道具のように見なすこと、そのこと自体は日常的に経験される。これはたしかに「感覚」の問題であるが、絵の側にも、画家の側にも、それを観る側にも感覚の問題があって、タブローを前にしているときでさえ、ひとつの身体の感覚の次元をあらかじめあったものとして措定することはできない。そして感覚と身体がひとつに結ばれる瞬間が突然タブローのなかへやって来る。そのときあらゆるものが表象的であることをやめるのだ。ジャン・ルイ・シェフェールはベーコンについての文章のなかで、「事実の粗暴さや情動の絵画の直接性を信じることができなかった」と書いているが、シェフェールに反論するようであるが、それらが感覚のひとつの次元の執拗さとまったく同じものを指していないと私は断言することができない。

ところで、神経と身体が同じものであることによって何が起こるのか。何が在るのかではなく、何が起こるのか、としか言いようがないのだが、しかもそれは現象学的身体とは無縁のものであって、身体から出てくるひとつの身体があるのだ。身体の位置をそのつど確定し得ない身体がある。ジル・ドゥルーズはベーコン論のなかでこう言っている。

もはや問題は場所ではなく、出来事である。もしそこに努力があり、強度の努力があるとしたら、それは決して特別な努力ではなく、身体の諸力を超えて、他と区別される対象をめざすようなものでもない。身体は厳密に努力し、あるいは厳密に脱出に備える。私の身体から脱出しようとするのは私ではなく、身体それ自身が何かを通じて脱出しようとする。いわば痙攣であり、つまり神経叢としての身体であり、その努力その痙攣の期待である。

（『フランシス・ベーコン　感覚の論理学』、宇野邦一訳、河出書房新社、二〇一六年）。

身体がつねに身体から抜け出そうとしていることは言うまでもない。私が身体から出て行くのではない。身体が身体から出て行くのであるし、それを私が見ているのだ。なるほど私も君たちもそれを見たことがあったのである。しかし痙攣がいつも起こるともかぎらないし、強直性痙攣はなにもアルトーや麻薬中毒患者の専売特許ではない。そういう事態とは反対に、例えば能の身体のように、首尾よく身体から抜け出しかけた身体が、身体にダブって見えてくるということも、奇跡的ではあるがあるにはある。そのとき演者の身体はすでに演者の身体ではない。というか少なくともそれはもはやすでにその直前の演者の身体ではありえない。うまくいけば、それはじわじわと滲み出てくるのだ。この場合、痙攣は起こっていないように思われる。

圓朝ゆかりの日本の幽霊画を思ってみれば、応挙、それとも、もっと近代なら上村松園の幽霊画ならどうだろう。日本画の特質ということを差し引いても、ここにも身体から抜け出しかかっている身体、別の身体になろうとしている身体があると言えなくもない。

図像の領域において、陰影は身体と同等の存在感をもっている。しかし陰影がそういう存在感をもつのは、それが身体から脱出するから、それが輪郭の中に局在する何らかの箇所を通じて脱出したからである。

（ドゥルーズ、前掲書）

幽霊は、ネガディヴな統一的側面において、つまり陰画的に、身体から出て行ったのである。そしてそれにもかかわらず、それ自体が充満する一個の身体である。充溢身体は、当然のことながらデュシャンの言うアンフラマンスのように稀薄な身体であることもある。幽霊の身体、でもそれは身体なのだ。ここでなら、それが死せる肉であったとしても、「肉への慈悲」について語ることができるかもしれない。ベーコン自身が肉屋にぶらさがった肉であったように、我々はひとりの幽霊であるからだ。

しかし図像の歴史においてキリスト教的身体、イスラム教的身体（モザイクも含めれば、この幾何学的身体は身体だと言えないかもしれない）などなど、あるいは異教的にしろ、そうでないにしろ、その他さまざまな身体があるように、日本の身体というものがあるのだろうか。幽霊画の幽霊が美術史的に見ればかなりの点でそうだったように、例えば、舞踏の領域においてなら、それがあったと言っていいのだろうか。土方巽が舞踏『疱瘡譚』で踊った病んだ女郎を見ていると、病んだ遊女の「存在」が踊られただけではなく、舞踏家は病んだ女郎の身体が身体を抜け出そうとする葛藤を、そのジレンマを、その日常の地獄を踊ったのだと思えてくる。しかしそこには日本人の身体、日本人の身体的特徴というものがあったとしても、日本なるものは身体をもつことなどできるのだろうか。だがその前にこういう問いを立てることができるかもしれない。そもそも舞踏家土方巽の身体は日本の身体だったのか、と。彼の身体が秋田の身体をまとっていたことはたぶん間違いないだろうが、だからといって彼の身体のさまざまな状態と時間を外側から内側へ向けてあえて下降させるかのような踊りは、日本ではなく、むしろ日本の「あの世」で行われていたのではなかったのか。

上村松園の名前を出したので、現代画家である松井冬子をとりあげてもいいかもしれない。彼女の絵に登場する女性の身体は、女性性の生理的現実性を表しているにしろ、レオナルド・ダ・ヴィンチの『アナトミア』から一歩も出て行こうとはしないように思われる。かつての幽霊画とは違って、身体は身体から抜け出しはしない。いかに奇矯さが装われていようと、その意味ではルネサンス絵画の視覚的「紋切り型」から一歩も出ていないということになる。紋切り型は思考の紋切り型を生み出すことができるだけである。

無論、かつてルネサンス絵画に描かれた名だたる数々の身体がそれを免れてはいなかったなどと言うつもりはないが、しかし例えば、ジォットやウッチェロやピエロ・デラ・フランチェスカの身体を思い浮かべると、彼らはかなりドゥルーズの言うベーコン的な意味での「図像」(フィギュール)に近接したものを描いたと考えることができるように思われる。そのどれもが図像表現においてもその意図や全体的効果においても特異な身体の前提のようなものであったからだ。しかしながら松井冬子の作品は「物語」の身体であることから抜け出ない。臆せずクワトロチェントに始まる伝統のなかにあるかのように主張するこの見たとおりの「解剖学的身体」は、あえて言うなら、内臓をさらけ出し、恐怖を見る者に植えつけることによって、逆に我々の身体の思考にとっては一種の後退を示すものでしかなく、アルトーの言う「器官なき身体」の対極にあると言っていい。松井冬子の死せる身体は、ベーコン的な「図像」ではなく、それが凡庸であるにしろそうでないにしろ、「物語」の身体であり、その意味において、松井氏にとっては大きなお世話だろうが、ベーコンの絵画的冒険とは似ても似つかぬものである。具象との戦いに挑むことはないし、その意味ではイラスト的であるし、残念ながら、物語はそこでただありきたりの例証を繰り返すばかりである。

「器官なき身体」の対極にあるルネサンスの「解剖学的身体」は、もうひとつの重要な発明、遠近法の発明とセットになっていたように思われる。解剖学と遠近法は似たような姉妹である。なぜならニュートンが言うように空間とは「神の器官」であって、解剖学的身体は器官の綜合から成っており、遠近法的空間は器官の総合から逆に射影されるものだと考えられるからである。しかし実際には、最終的に空間の綜合は生起しない。我々は空間における有機的な器官の綜合を探し求めているわけではないが、神は、遠近法の消点の向こう側に隠れたままになっているからである。一方には、時とともに、病んで、ところどころ完全に壊れ、ぼろぼろになって、すたれてしまった解剖学的身体のような空間があるのかもしれない。

ところで、ピエロ・デラ・フランチェスカの絵画を見ればわかることだが、厳密すぎる遠近法によって（ピエロは数学者でもあったが、「遠近法論」という本を著している）むしろデジタル的であるように見えるこの空間の性質は、直観としてではなく、伝統としては、未来においてどれほどの重要性をもつのか私にはわからない。それでも絵画の感覚的世界として見るなら、厳密な遠近法の空間は我々の目には視覚的にも触覚的にもどこかしら奇妙で非現実的な空間を写し出しているように思われる。たしかにそれを逆転して、伝統を逆に遡るなら、新しい感覚世界として考えることもできるだろう。しかしここで我々が知りたいのは、「器官なき身体」に基づいた空間であり、空間の概念である。

「身体から抜け出す身体」に戻ろう。

ドゥルーズは書いている、

叫ぶ口を通じて、身体はまるごと脱出しようとする。法王や乳母の丸い口を通じて、身体は、まるで動脈を通り抜けるようにして脱出する。しかしながら、ベーコンによれば、口のシリーズにおいて、決定的に重要なのはこのことではない。叫びの彼方には、微笑があるが、彼はそれにたどりつけなかった、と暗示して言うのだ。ベーコンは確かに謙虚である。実は、絵画における最も美しい微笑を描いたのである。しかもそれは身体の消滅を保証するという、まったく奇妙な機能をもっているのだ。ベーコンはただこの点において、ルイス・キャロルを、猫の微笑を再発見している。

（前掲書）

明らかに法王の最も醜い「叫び」を描いたはずなのに、絵画における最も美しい微笑がそこに出現しているかもしれない。しかもそれは消滅する寸前の何かだ。ルイス・キャロル『不思議の国のアリス』に登場する猫、木の上にのぼっていたチェシャー猫は、じょじょにからだが消えていったが、すべてが消滅した後、空中に「にやにや笑い」だけが残った。微笑は消滅を前提としていた。叫びのあとには、微笑が……。それは身体の消滅を前提としている。口から叫びが出ていき、叫びから身体が出ていき、身体が消え、すべてが消えて、微笑だけが残される。これほど愉快なことがあるだろうか。絵画の頭脳、そのアリス風頭脳的解決はやはり消滅に委ねられるのである。

そして消滅を前提としてあらゆるものの現前がある。ドゥルーズは、現前がヒステリー的であるのはあり得ることだろうかと問いかけている。私にはそれはつねにあり得ることだと思われる。

私たちがほんとうに言いたいのは、絵画とヒステリーのあいだには特別な関係があるということである。実に単純なことだ。絵画は、表象の背後に、表象を超えて、もろもろの現前を取り出すことを、直截にみずからの課題にするのだ。色彩の体系そのものが、神経系統に対する直接的作用の体系である。それは画家のヒステリーではなく、絵画のヒステリーなのである。絵画を通じて、ヒステリーは芸術となる。あるいはむしろ画家を通じて、ヒステリーは絵画となるのだ。

（前掲書）

身体から抜け出した身体は、ここでもう一度、セザンヌが見たようなすさまじい生の風光、「線と色彩のあらゆる歓喜」に出会うことになる。そしてそれがこのヒステリーを追い払ってしまうかどうかはまた別問題なのである。

# 3

# 身体

# パンクの平和

遠藤ミチロウ

　パクス・ロマーナ。ローマの平和。それがうまくいったのかどうか分からないが、パンクは音楽のかろうじての破綻であり、少なくとも本人たちがそれを標榜したことに間違いない。パンクス・ロマーニ、そう言いたいのは山々だが、ここではローマが主題ではないし、ローマにもパンクはいたのだろうがよくは知らないし、まずはパンクの平和があったのだと言っておこう。パクス・パンクス。この文章は日本のパンク、ザ・スターリンの遠藤ミチロウについてであるが、パンクス・ロマーニなどと言ったのだから（じつは私と一緒に演奏することもあるミュージシャンの発案による）、ローマ帝国の話から始めなければならない。

『ローマ帝国衰亡史』の著者エドワード・ギボンはたぶん間違っている。私がギボンのような歴史家を好きになれないからではない。パクス・ロマーナ、ローマの平和は、歴史を禿鷹のように気楽に俯瞰した結果であったとしても、後世の者たちにとっては、異質なもののプロセスにおいて、そもそも言うところの歴史は実践的内容と実践的真理を欠いていたのだと言っておかねばならない。

ローマの平和は滅亡と消滅を前提とするものであったし、いくら大騒ぎしようと、繰り返される滅亡の理念においてパクス・アメリカーナと大差がなかったのである。それに何といってもまさに五賢帝の時代にこそキリストは処刑されたのだった。不動の時間と古い地図によっていくら認識論的囲い込みが行われたとしても、西洋の地政学的地理は未来の展望においてすでにすっかりその様相を変えてしまっていたのだ。

ローマがあれば、反ローマがある。平和があれば、反平和があるだろうが、だからといってあの馬鹿どもが望んでいるように必ずしも国家による戦争を起こさなければならないというわけではない。いかにアテナイが陥落しようとも、いかに農奴ヘイロテスが生き残ろうとも、スパルタは存続できないであろう。いかにマルクス・アウレリウスの叡智を模倣し盗もうとも、エリュシオンの野に悪臭が満ちるだけである。歴史家タキトゥスが言うように、たしかに終局の地はいつも世界の窓のように開かれていたかもしれないが、いずれローマ帝国は滅亡することになるのであるし、我々がそのために働くことはけっしてないだろう。

あるいはパクス・パンクス。パンクの平和。この平和は何のためにあったのか。平和のなかには心の平安があるのだろうか。だが誰もが望まないような心の平安がある。この心の平安はまるで政治的事件、政治的動乱の契機のように作動する。

古代ギリシアの哲人エピクロスが心の平安を意味するアタラクシア（平静な心の状態）を求めたのは、隠れて生きるためであった。これは心の平安を乱す者にとってはほぼ理解不能であり、すでに社会学的命題である。事物を構成する原子の衝突は二つの虚空のなかでしか起こらない。これは不可解なひとつの恣意性であり、世界自体が含みもつ傾斜の運動である。死によって原子は散逸し、感覚は停止する。アタラクシアは世界と世界の間にひそんでいる言ってみれば死後の神（どの神なのだろう？）を前にしたような感覚であり、感覚の欠如であり、心の平安はしたがってある次元において人間に何の影響も及ぼしはしない。

「ひっそり生きるために、幸福でいよう」。これは二十世紀の前衛が後に思わず呟いたあえかな命題であった。ウォーホルの言葉ではないが、ウォーホルを参照するまでもない。喜ばしいことに、ここで社会学は見事に破綻する。我々は決定的にひとりひとりであり、ひとりであること自体が内部から崩壊し、ひとりはひとりであり得なくなることが往々にしてある。ひとりひとりからなる集団的様態は個人の様態をあらためて再認することによってカオスの縁に身を置くことがある。幸福の身体が、病に蝕まれ、事故にあい、身体の分裂と分裂の底をともなっていることはギリシア時代からわかっていたし、ギリシアの神々の専売特許であった。実際、身体は幸福であれ不幸であれそれ自体においてひとつではなかったのである。身体がひとつでないとすれば、死の恐怖から解放されたのは身体の片割れであり、半身である。

イエズス会的決疑論は道徳的判断のために結局のところ神は不在であることをひそかな前提とし、それを隠して知らん顔をする詭弁でしかなかったが、キリスト教社会においてこの不在は重くのしかかり、ミイラ取りはミイラになるほかはなかった。心の平安はすっかり乱され忘れ去られ、ここで社会学は恥をかくしかなすすべがない。はじめに矛盾があり、それは言葉とともにあり、平安の肉となったのだから、神学をバックにしたひとりひとりの人間の矛盾判断は、いかなる倫理的判断においても、聖職者であれ誰であれ、社会的存在である人間の悲痛な悪あがきにすぎなかった。

しかし中世キリスト教神学が築かれる遥か昔に、かつて懐疑派の祖であったピュロンは心の平安のために判断を停止したのであるし、ストア派は不感無覚を徳としたのだった。とにかく判断を停止しなければならないときがある。ピュロンの心の静けさもストア派の帰還の地としてのロゴスも宇宙と言われるものに接していたが、言うところの宇宙は無意味な騒音に満ちている。パンクはそのことを疑わなかったが、一方、目隠ししたピュロンは崖があることを疑ったために、崖から落ちて死んだと言われているが、それもまた懐疑の対象である。にもかかわらず懐疑論的なエポケーによって真理自体が到達不能になるわけではなかった。たとえ自然命題を何度括弧に入れたとしても、外部も外部の判断もそこにあるのだから、そもそも疑うことは暴力の一形態なのである。

この懐疑的暴力は、歴史の真理の分断とともにあり、ずっと時代をくだれば、ダダの先駆者であって同時にそうでなかったとも言えるあの自殺三人組、ジャック・ヴァシェ、アルチュール・クラヴァン、ジャック・リゴーのように己れを語らないだけである。そのためにこの暴力は自分に向けられる。この場合、侮蔑的告白は告白しないことによってもたらされる。歴史のなかで告白と反告白が同時に起こるのは日常的によくあることである。この反告白は自己による自己のための生贄的行為となるかもしれない。生贄は共同体のなかで為されるほかはないのだから、あの三人は自殺したのである。

ところで、私の考えでは、ストア派のアパティア（不感無覚）はそれでも一種の陶酔の術であって、パトス（情念）の一形式のなれの果てにすぎない必死のダンディズムとは何の関係もない。アパティアは語義的にパトスの反対語であるが、パトスを免れているからといって外からの介入がないわけではない。それどころかアパティアはつねに外にさらされていて、それとの緊張関係のうちにある。アパティアの主体は、この世のなかにある別の生のように、あるいはあの世のなかにあるこの生のように、共同体とだぶってはいるが、共同体とはならない共同体、共同体になりそこねた別の共同体のなかにあって、孤立し、ひとりひとりはその矛盾を超然として体現するのである。古代ギリシアの哲人たちが偉大な乞食のように見えるのはそのためである。だからアパティアは徳となるのであり、それぞれのパトス的矛盾にとってそこにある我々の生きる瞬間はおおいに自立しているのだ。

亡くなったばかりの日本のパンクの重鎮、ザ・スターリンの遠藤ミチロウについて思いをめぐらせていると、「平和」(平安)についてのさまざまなイメージが浮かんでくる。私はふざけて言っているのではない。彼が福島出身であったからだけではない。だが原発の話はここではよしておこう。

かつてのイギリスのパンクからはその華々しさにもかかわらず生活保護のひしひしとした振動が伝わっていたし、どちらかと言えば元気のなかったフランスのパンクは廃墟に勝手に住み始めていたが、ほぼよれよれのレインコートのポケットにニーチェの文庫本を忍ばせていた。反対に、ドイツのパンクからはナチの死の舞踏の、端的に「死」の臭いが駅の公衆便所からも漂い、ホルバインの「墓の中の死せるキリスト」を思わせたが、いまにして思えば、七十年代から八十年代にかけての日本のパンクスはわめき散らしながらも平和を求めていたのだろうか。

豚の臓物の平安。汗まみれの化粧による心の平安。それがパンクの常套手段であったとはいえ、ペニスに刺さった注射器を誰もが好んでいたわけではないし、全員が注射器を振り回していたわけではなかった。当時、新宿を追い出された人々は高円寺に集い始めていた。高円寺の夜は更け、手袋のように裏返った頭の襞のなかで隣のババアが南無阿弥陀仏を唱えていた。脳が沸騰していても、破裂しても、収めどころ、落としどころがわからない。フリクションのレックは夜でもサングラスを外さなかったが、大阪や京都のパンクは生贄を捧げるアブラハムのようにいかにも政治的な人々によっても構成されていて（よくは知らないが、極左だけではなく右翼的なのもいたはずだ）、それとも文学にかぶれているかだったが、たぶん他処で一気になされるそれ自体における記憶の振る舞いのごとくばらばらに孤立していたのだろう。

それは私の妄想だったのだろうか。それとも思い違いだったのだろうか。いずれにせよ、つまりこの場合も、市田良彦が引用するジャック・ランシエールの言葉を借りるなら、「共同体自体が共同体から離脱していた」のである。パンクに遺産はなかったし、ザ・スターリンはそうではなかったが、原則として楽器が弾ける必要もなかったし、歌が唄えなくてもかまわなかったし、弦が三本でもギターであると言えたし、瞑想なんかしなかったし、税金も払えないし、あらゆる意味で遺産相続はなされようがなかった。

日本のパンクのみならず、音楽全般に通暁している哲学者の市田はこんなことを言っている。

主体は共同体から与えられる自分の「現れ」を受け入れるのではなく、自分に存在を与え直すことにより、同時に「共同体を共同体から切り離す」のである。この二重の操作を行うのがランシエールの考える政治であって、そこでは主体になるということと、政治的であるということが厳密に一致している。あるいは、その二つが一致するようにしか主体も政治もありえない。それはともあれ、共同体のどこにもいない人とはまた、ただ人であるだけの人、人である普遍性だけにより存在している人であるだろう。そのような人は「全員」である。どこにもいない自分は、誰とでも同じである自分だ。言い換えると、自分と共同体のそれぞれを二重化する瞬間、政治的主体は「部分」としての自分を「全体」に一致させている。これはしかし、論理的には端的な「間違い」である。あるいは途方もなく無茶な要求である。ただ人であるのは誰でも同じであって、そこには何の不思議もないように思えるし、そう思えるかぎり政治は生起しないが、何かを政治的に疑問視する可能性は、それが部分と全体を混同する間違いであること、〈私（たち）はすべてである〉、〈「すべて」の名において「私（たち）」の分け前を求める〉という「妄想」であることに依存している。またしかし、要素と集合の区別はあくまで論理的な区別であって、現実の世界においては個人と集団、部分と全体は衝突する可能性こそあれ、それぞれが別の世界に互いに棲み分ける可能性のほうがありえない。現実が一つの世界であるかぎりは。間違いを犯さなければ政治的になれないが、その間違いは、論理性より事実性を優先させるだけで生まれてしまうのだ。「誰もが同じようにただ人である」という命題はつまるところ、困難と容易、無理と当然、不可能と可能を一致させており、その一致の名前が政治である。あるいは、民主主義的で平等主義的な言明が至極当然の主張から不条理な緊張関係の表出に変わるときに、ことは政治問題となる。

（市田良彦『ランシエール　新〈音楽の哲学〉』、白水社、二〇〇七年）

私が初期ＥＰ‐４のメンバーだった頃、覚えていないだけかもしれないが、東京や京都のしかじかのギグやコンサートでザ・スターリンとすれ違ったことはたぶんなかったように思う。パンクは分類の虜になっていて、他人の手になる唾棄すべき分類と自らが分類されることをじつは好んでいた。範疇は範疇であり、ただの範疇、イサゴゲーにすぎないが、しかし「ポルピュリオスの樹」に登ることはできても、種と類を区別することなど当時の我々にはできなかった。したがってすべてである私と誰でもない人は本人の意に反してからくも一致していたのだと言えるかもしれない。この妄想をともなっていれば、放蕩息子の帰還をちゃんとわかっていて、彼の帰りを待ちあぐねていたシラミだらけの死にかけの犬アルゴスのように、これまた敵である敵の許嫁《いいなずけ》たちを見抜くことはできた。我々はそれに長《た》けていた。ただ『イーリアス』的世界にどっぷり浸かっていたというのに、ホメロスなんか誰も読まなかっただけである。

　ミュージシャンとして売れることは売れないことの反対ではなく、ほとんど同じ平面にある漸近線だった。曲を書くことも曲にならないことも同じである。案外パンクスは音楽的音楽をやっていたが、パンクと隣り合っているのにパンクでないと微妙な分類を自分に課していた人たちは音楽でないように音楽をやることもあった。分類と棲み分け。それは最低限のことである。残念ながら、私はあなたたちの期待に応えようとは思わない。社会学者たちはそれで血眼になっていたが、何の成果も得られず、パンクはパンクで、そうでもしなければ、地下活動もサブカルも暑苦しすぎてやっていられなかったのである。

　とはいえ、スターリンの初代ドラマーであった乾純はいまでも心臓発作を起こしそうなドラムを叩いているが、何十年も経って遠藤ミチロウに会ってみると、彼はとても紳士的で物静かで酒も薬もやらず顔は笑っていないのに心静かに笑っているように見えた。物事の局面や形成に影響を与えるものがすでにあの頃に厳然としてあった証しなのだと言えばいいのだろうか。二つの異なるものはあるひとつの実体のなかで一致を見ることがある。遠藤ミチロウはバーの暗い電燈の下に置かれた静物画のようであった。伝統的な意味での静物画は、心の平安ではなく、空虚、つまりヴァニタスの寓意を描くものである。またしてもローマ帝国の腐敗、崩壊、滅亡である。遠藤氏はすでに膠原病を患っていると聞いていたが、それでもアパティアをすでに体得していたのだろうか。少なくとも私にはそのように見受けられた。

ストア派のアパティアは理性にしたがって生きることと不可分であるとされるが、どんな理性なのだろう。遠藤ミチロウのアパティアは歌と歌でないもの、歌と歌であることを拒否するものの間にあったに違いないが、歌を外せない、歌を抹消できない特徴があったのもまた確かである。それはパンク全般やそれに近しいと分類される者たちの音楽全般の特徴であるとは言えなかった。パンク歌手としての遠藤ミチロウの「心の平安」。それはとにかく歌うことだったのか。歌は必ずしも叫びではない。遠藤ミチロウの歌はそんなにうまくない。肉声は肉体の謂とは限らない。しかしたしかにそこに「言葉」は生起すると言えるのか。それをこんな風に言い換えることもできる。私がつべこべ詭弁を弄するより、もう一度市田良彦の的確な言葉を引用しよう。

ではこの体制のなかで、つぎの言明はどう位置づけられるか。

俺は字が書けない。だからライブを企画する。レコードを制作する。

こう述べたパンクロッカーのアルバムには、実際、歌詞のない曲しかおさめられていない。「パンク」をロックにおける言葉（ただし肉声）の復権として捉えたボーカリストとの確執ゆえにバンドを去ったこのギタリストは、かつての盟友を挑発するかのように、言葉のないパンクをレコードにした。いたるところで類例に出会うはずのバンド内のいざこざ、フロントマンとサイドメンの不安定な力関係などはここでの問題ではない。注目したいのはただ一点、タムという素っ気ないいかにもパンクな名前をもったこのミュージシャンにとってもまた、「音楽＝言葉」であるというところだ。ギターとベースとドラムの音だけからなる曲であっても、歌詞と声を前面に押し出す遠藤ミチロウの音楽に拮抗しうる、あるいは等価である――タムの言明と音楽と活動全般はそう高らかに宣言する。彼にとっては「音」が言葉と等価な言葉の「代わり」なのであり、彼の「言葉」そのものに他ならない。だから、字が書ける、詩を書くことができる必要はないのであり、インストゥルメンタルだけでパンクたることができる。彼にとっての「音楽＝言葉」の「＝」は平等あるいは等価の記号であり、どちらかを上位に置いて他方の「意味」を決定させることの拒否こそを表示しており、タムはその等価性を逆説的に主張するためにパンクから言葉を消去しなければならなかった。やや皮肉であったのは、遠藤ミチロウの表現装置であった「ザ・スターリン」においても、さらにはパンク全般においても、肉声や言葉の復権として言われていたことの実質は同じであったという点だろう。人の肉声としての詩を音楽のデザインに従属させないという意志が、そもそものはじまりからパンクをパンクたらしめていたはずだ。

（中略）

もちろん怒号が飛び交う（豚の頭、臓物さえ飛んだ）ザ・スターリンのギグにあっては、誰もミチロウの詩など聞いていなかった。ただ「ジッター・バグ」どころではない痙攣的な動作に身を任せるだけだった。観客が「よく聴く＝聞く」ことをミチロウが必ずしも望んでいなかったことさえ、〈サル〉を聴けばよく分かる。じっくり耳を傾けられては困る不敬な歌詞を、彼は文字通り「歌い逃げ」した。しかし「よく聞こえない詩」は、まさにその〈サル〉の例が示すように、何を言っているかに注意を喚起するため、詩を人の肉声として浮かび上がらせるためによく聞こえないようになっていたと言うべきであり、そこには音楽と言葉を同じものにする意志を読み取るべきだろう。タムが離脱して詩を捨てた音楽を作るようになり、ミチロウがやがてアコースティクな弾き語りへ踏み出すことになる母胎としてのザ・スターリンは、バンドの存続を危うくするほど音楽と言葉が平等なものとしてイコールだった稀有な例を提供している。

（市田良彦、前掲書）

じつのところパンクは、歌を唄うことも、ギターをかき鳴らすことも、ドラムを叩くことも必要としていなかった。これは痙攣と同じように技術的問題ではなかったが、音が出ていれば、音が塊であればそれでよかった。遠藤ミチロウのシャウトは、フランシス・ベーコンの法王の絵のように、ただそこで「叫び」を描いてさえいればよかったし、メッセージなど、それが神の託宣でなければどうでもよかった。曲はいつも不在に開いたひび割れのようなものだったのだから、そこからこの塊のなかに入っていけばよかったのか。しかしそれは未知の音楽的要素の拡大の兆しでもあったのだと思う。まだ言われていなかった、聞かれなかった「言葉」はそこに介入する。遠藤ミチロウはこの塊のなかで蠢くものを獲物のように捕らえ、それについて沈思黙考した。それは同一性のプロセスにおいてつねに口の先から出かかった言葉であったのだろうか。翻って考えれば、彼の書く歌詞が独創的であればあるほど、それはほとんど誰でもない人の「言葉」であった。

何も感じないこと、不感無覚でいること、遠藤ミチロウのアパティアは、これらの「言葉」の間で、汗とシャウト、そして静物画の間で会得されたはずである。会得などという言い方は不適切かもしれない。彼はこのアパティアに潜り込むすべを音楽によって知った。このアパティアは彼の病の原因、我々の病の原因であり、その未来の快癒であったに違いないのだ。

ローマは一日にしてならず
千年にしてならず
昨夜、ローマ帝国は滅んだ

黒焦げの大地よ、猛烈な渦よ
底なしの忍耐よ

# 不動の曲線

土方巽

「ひとつの動きの曲線に永遠が押し寄せ……」
——ジャン・ジュネ『薔薇の奇跡』

右のジュネのエピグラフもこの本からの孫引きなのだが、宇野邦一の『土方巽　衰弱体の思想』（みすず書房、二〇一七年）は、土方巽の舞踏と言葉をめぐる長い時間をかけた思索による、注意深く繊細な舞踏についての貴重な本だった。だが急いで論評したいと思うこの宇野邦一の本について、舞踏とその哲学について、いま何も言うことができない。こんなことはめったにない。私はこの本を最後まで読みながらまとまった思考がまったくできないでいたし、この本で深く掘り下げられた土方の言語作品、とりわけもう一度しっかりと何度目かの再読をしようと前々から考えていた『病める舞姫』の読書も果たせないままでいる。

宇野邦一の土方本を読みながら、私はいわば完全に引き裂かれてしまった。「衰弱体の思想」をめぐるこの本を病院のなかで通読するはめになってしまったからだ。私は死の床についたさる人を毎日ただ眺めて時を過ごしている。ベッドに横たわるその人を見ることに疲れると、病室から入院病棟のロビーに行って、できるだけ集中してこの本を読んだのに、私は空っぽのバケツのままである。この読書に何かしらバイアスがかかってしまったということではないが、ずっしりと重ささえ感じる宇野邦一の本を手引きに、土方の舞踏と彼自身の言葉の謎について考えようとしても、土方の「衰弱体の採集」(採集といはいえない採集)のあの暗がり、土方の身体を降りていったところにあったはずのあの深い井戸の在りかは、もうありもしないみすぼらしい舞台の向こうに霞んでしまい、土方の舞踏を何とか思い浮かべようとしても、はじめから迷子になっていた「はぐれた肉体」の幻影がいまは時々この身を霧か透過物のようによぎるだけである。私は思い直して、何とか立て直そうとしてみる。衰弱体の身振りの採集。しかしバケツはいっこうに満ちることはない。

病院の広い窓から光が射している。ひとつの斜光。それがページの紙を照らしている。病のなかにも光に似たものがあるのかもしれない。すぐ近くに山の緑が迫っていて、反対側にはいつも穏やかにきらめく海も見える。

ジュネは最初に引用したエピグラフのくだりで、監房のなかでの身体の動きについて述べていて、ほとんど無意識かもしれない身振り、悲惨と栄光をまとった囚人としての思わぬ身のこなし、いってみれば「新しいダンス」によって、監房のなかでの時間と思考を支配しそれを自分のものにすることで、絶望を少しだけ、しかしまったく別のものに変えることについて語っているのだが、ひとつの動きがあれば、そこにはひとつの不動性があるはずなのだ。そしてその不動性は舞踏や演劇のひとつの特徴である（蛇足だが、よくよく考えれば、ある時期ジュネは生粋の演劇人だったのだし、最初から最後まで彼のルネサンス的とも言える幾つもの本は演劇の構造をもっていたのかもしれない……）。

病のなかに見え隠れするある種の容赦のない動き。そして病人のからだのもつ、偽の、見かけの不動性。それらは両立するかに見えて、鋭く対立し、仮象を退けるように（その仮象のひとつは有機体としての身体である）、互いが互いを欺くように分裂を繰り返している。だがジュネのように監房を拡大し、そこに突進するような力はこの明るい病院のなかにはさすがにみなぎってはいない。私は監房のなかにいるわけではないが、それでも病室のなかでまぎれもない一個の身体を目の当たりにしているのである。私はジュネが監督した映画『愛の唄』を思い出していた。

からだは曲線を描いている。この曲線に、時間の否定、永遠が押し寄せる。それを見ようとして、それを何とか確認しようとして、私の思考は停止する。土方自身の言葉、土方についての宇野邦一の言葉を思い出しながら、私は呆然とする。思考はもう身体から抜け出して、宙をさまよっている。この思考は身体とダブり、それから染み出しながら、ぼんやりと身体の形になろうとしていたはずではなかったのか。だがこの空気状の身体の形はからだ自身の知らない形かもしれない。病人のからだ。私のからだ。衰弱はさまざまな様相を帯びている。交感は起こりそうにない。奇跡はない。だけどここにダンスのようなものは存在しないのだろうか。踊っているものはないのか。

ここではとんでもなく衰弱しつつあるからだがたしかに目の前にあるのだが、寝返り以外にほとんど何の動きもないといっていいこのからだにも、何かが絶え間なく押し寄せているのがわかる。ひとつの動きは曲線を描くが、動こうとしても動けない不動もまた曲線を描いている。横たわったからだは不思議なひとがたの稜線の上で曲線を描くのだ。それは時間を否定するようにして同時に時間のなかにあり、この時間は一見円環をなしているように見えるが、じつはそうではない。永遠が続くことはない。永遠はかつて続かなかったし、これからも続くことはないだろう。永遠が一瞬のなかにかいま見えたとしても、永遠は一瞬ではないからだ。時間と永遠は別のカテゴリーに属している。永遠は一瞬をあざ笑ってさえいる。いや、あざ笑っているのではなく、段違いの生と死の境界を敏感に感じているつもりになっている我々自体を完全に否定しているのだ。曲線はじっとしているか、時間の外でただ無関係に震えているばかりである。

閉じた目。やにわに開かれ、遠くを見る目。何も見ていないかのように、何も見るものがないかのように（実際、そうなのだ）動かない瞳。瞬き。まるで自分のからだがどこかへ墜落するのを阻止するかのようにベッドの柵をつかんだ痩せさらばえた手。土方巽は「からだの中には、際限もなく墜落してくものがある」と言っていた。重ねられ、折り曲げられた足。寝息。小刻みな呼吸。半開きの口。まだほんの少し喋ることもほんの少しだけ食べることもできる。しかし言葉はいま見えている幻覚をとらえようとするかのように唐突で、いつも私の知らない別のコンテクストのなかにあるほかはないし、言葉自体の中心から少しずつ、だが完全に離脱しようとしている。そして食べるという行為はどこか人間離れしていて、酷薄で荒々しいところがある。

ある力が身体に及んでいることは確かである。死の欲動のことを言っているのではない。この力は論理的に不可解なものだが、なぜこの場に及んでそれは速度を増しているように見えるのか。身体には実際の欠損、そうでないものも含めて、穴が開けられ、そこに生命とは恐らく別種のものが侵入し、部分的に壊死し、小さな死を繰り返し、誤作動を起こした細胞があちこちでゆるやかな増殖と占拠を開始している。意識などただのカカシにすぎない。だが誤作動といっても、それは生がもたらした賜物なのだろうか。そのように考えることもできるが、身体には物質から遠ざかる一方である深みのようなものがあるのかもしれない。生がときには急降下のようにカーブを描きつつ、それが露わになろうとしている。そしてそれはからだの表面に、からだの内部の表面に浮かび上がり、自分で自分を食い破ろうとしているのがわかる。

こんなにも多くの出来事がからだのなかで起きている。それにつれて時間が振動を繰り返し、ただ脳のなかでだけそれが起きているかのように、病人にとっての時間の質が完全に変質しているのが手に取るようにわかる。不動のまま、その人のものでありながら、非人称的で、もはや素材ですらない何かがからだのなかに開かれ、本人が知らないうちに、からだ自体が無言のままそれを凝視している。私もまたそれをぼんやりと見ているだけだ。だがこの言うところの眼差しでさえ、時間の渋面、ただの見せかけがもたらす錯覚のなかの斜視でしかないのかもしれないし、むしろ絶えず断言を繰り返し、それを反復しているのはその人のからだのほうである。その人は、痛みを訴えているときでさえ、寝返りを打つときでさえ、そのことによって時間に打ち勝っているようにすら見える。私はそのことに安堵する。

ここはひとつの劇場だ。幕は上がった。もはや手遅れだ。幕はすでに上がったのだ。「幕」という漢字は、目が悪いのか、「墓」という字に見えなくもない。そうはいってもここにあるのは生の力なのか、それとも死の力なのか私にはわからない。この何かへの移行、この何かの過程は、美しく、残酷で、穏やかで、悲しい。それが生の過程であることはたぶん間違いない。そして醜悪な生。臭気。いびき。血。悪血。そこにはまぎれもなく生が混じっている。あの鬱陶しい生が！　だが私は消えゆく「生」を見ているのか、それとも死に侵された、死という病に冒され、衰弱の下降線をたどる身体、前段階の姿をした死体を見ているのか、もうよくわからないのだ。私は病院の窓の外を眺める。その人のからだは、光のなかにあっても少しばかり悲しげな風景に似ていて、土方巽が言うように、抜け出す前のからだが空中に描いた殴り書きのようなものかもしれない。

だがここにはやはり死体があるわけではない。からだは刻々と変化する。死ぬ前も、死の瞬間も、死後も。

十七世紀の神学者で説教家であったボシュエは、『死についての説教』のなかで、「からだはもうひとつ別の名前を持つでしょう。死骸という名前でさえも彼のもとに長くとどまることはないでしょう」と語っていた。「それはいかなる言語のなかにももはや名前を持たない得体の知れないものとなるだろう、テルトゥリアヌスはそう言っていたのです」。なぜならそれほどまでに実際すべてがその身体のうちで死に絶えるからである。死に絶える？　そんなことは承知の上だ。だがボシュエはほとんど脅迫じみた言葉で畳みかける。「ただ一瞬がそれらを消し去るのであれば、百年や千年が何だというのでしょうか」。やれることをやりなさい、それすらも無駄になるでしょう。「あなたの日々を重ねなさい」。美化しなさい。やってみなさい。虚しいことです。私の「実体」はあなたたちを前にして、時間を前にして何ものでもない……。わかっているさ、わかっているさ。

いまここで、その人の実体が私の目の前で何ものでもないことを自ら証明していることを私はよく知っている。私は無知のなかでそれを確かめようとさえしている。だがそれらを一瞬で消し去るのは、ボシュエが言うように、ほんとうにあなたたちがよく知ると主張する「死」なのだろうか。それはどこにあるのか。どこからやって来るのか。いますぐ私にそれを言ってもらいたい。ジャック・ベニーニュ・ボシュエは救いについて語っていたのだから、かつての自分の壮麗で犀利な説教によって、自分の死に際して自分を救ったのだろうか。自分で自分を救うなど、言葉の矛盾でしかないではないか。なぜならこの身体の自分とその自分は一致しないからである。ボシュエはそのことについて何も言っていない。

身体はない。身体の制度はない。肉体はない。肉体の言語はない。身体が実践したことなど、夢うつつの四肢、あのカカシがやったことにすぎない。衰弱がはじめにあった。それは身体とともにあった。衰弱は身体であった。後からは、死が迫ったときに、からだからじょじょに抜け出すからだがあるだけだ。

# 舞踏家の白いズボン

室伏鴻

二〇一五年六月十八日、舞踏家の室伏鴻が急逝した。死を踊り、死を演じ、死をねじ伏せてきた者の死。ソロ公演があったブラジルのサンパウロからドイツへ向かう途上だった。


メキシコの空港。日常の雑踏。

ゆっくりとくずおれる舞踏家の肉体。弧を描く大きなシルエット。

シルエットの輪郭は灰色を背景に際立ち、鋭い。だがその縁を流れる時間は緩やかに、突然あらゆる動きは緩慢になり、音は消え、心臓は鼓動を止めた。あらゆるものがゆっくりと停滞してゆき、そして一瞬、ぴたりと停止する。舞踏家室伏鴻がそこにいたはずだった。奇跡のように。するとふたたびすべてが騒音のなかに動き出した。

肉体。そこにあり、そこにあったはずの肉体。肉体は肉体だけのものである。そうなのか？

その肉体と対をなす蒼白の顔。室伏鴻の死顔はとても美しかった、と彼女は言う。彼は突然いなくなった。

暗黒舞踏の踊りがかつて私に花を思わせたことはなかった。大野一雄にならば、花の喩えも、花言葉も、そして一輪の花も、彼の仕草に捧げることができたかもしれない。丘の上の一本の古木に鳥がとまりにやって来たのだから……。だが、室伏鴻の死の一報に接したとき、なぜか私の脳裡をダリアの花のありそうにない映像がかすめた。少しくすんだ薄紫色のダリア。そんなダリアを私がかつてほんとうに見たことがあったのかどうかはわからない。

金属の肉体が空港のフロアの上でダリアの花に変化《へんげ》したとしても、花のせいだったのだと誰も言うことはできない。室伏鴻のかつての舞踏の肉体には、どのように見ようとも、合い言葉のように、威厳と優雅が流れていた。血と乳が流れていた。

花は枯れただろうか。花が枯れ、朽ちたとしても、それ自身が他の残りのものすべてとともに消えたとしても、昨日の薔薇はその名のみだとしても、そして肉体が死してもなお、舞踏家の肉体が滅びることはないだろう。

舞踏は恐らく肉体を、ほら、そこの、虚空のなかの肉体に刻んだのである。肉体はかつて肉体のオーラを纏っていたが、この生命のオーラは、とっくに死の芳香を大胆に放っていたからだ。それはいつも別のかたちを必要としていた。我々はそれを懐かしいと思ったことさえあったではないか。

この死んだ肉体を見ることを拒否できる者はいない。室伏鴻の師であった土方巽が言っていたように、舞踏家の肉体とはそもそも死に物狂いの死体であったからである。それは丘の上に、軒先に、地下室に、路傍に、水辺に、陽だまりに突っ立っていた。そしてこの肉体の廃墟のなかに。この井戸のなかに。この消滅のなかに。この不敵な別の形のなかに。別の誰かがそれを知ろうが知るまいが。

室伏鴻の誰が見ても美しいと思うはずの肉体を瞼の裏側で再現しようとしたら、なぜか吉田一穂の「後園」という詩を思い出した。裏側に写映されたものがもし言葉だったとしたら、それは僥倖であったと言わねばならない。万一、この詩が彼にはそぐわないように思えたとしても、それはただの肉体の錯覚である。

明るく壊《こわ》れがちな水盤の水の琶音《アルペジオ》。
（日時計《サンダイアル》の蜥蜴よ）

光彩を紡ぐ金盞花や向日葵の刻。
泪芙藍《サフラン》が、その黄金を浪費する時。
微風に展《ひら》く頁を押へて、指そむる翠《みどり》の……
御身、額の白く、香ぐはしの病めるさ。

（『海の聖母』より）

陽を浴びた日時計の上でじっと動かぬ蜥蜴は、さっきまで闇の縁《へり》を食べていた。かすかに発光するかのような暗がりから出てきて、背中を曲げ、油を流した背中はてらてらと赤銅色または青銅色に光っていた。優雅な蜥蜴はいつまでもぴくりともしない。

ついさっき土方巽についての宇野邦一のエッセイ「土方巽の生成」（宇野邦一『土方巽　衰弱体の思想』所収、みすず書房、二〇一七年）を読みながら、肉体の生み出す軋轢について考えていた。土方の精神はその軋轢をほとんど楽しむほどの大きさと倒錯をそなえていた、と宇野邦一は言っていた。それならば、だからこそ肉体は肉体の軋轢をいたるところに生み出すのだと私には思われた。したがってこの精神とはまた肉体のことなのではないか。それはコレオグラフィーの外にある。精神から離脱した肉体は何度か私にそう教えてくれたような気がする。

そしてこの倒錯は肉体の彷徨い自体のなかにあって、はぐれてしまった肉体は、今度は、巨大な肉体に「わが肉体」それ自体を象嵌するように、自身の古い肉体を裏返しにし、それを拒否し、もう一度あらゆる肉体に命令するのだ。ダンスは明瞭な無為なのだから、それが苛烈な闇と接し、この暗黒に溶けてしまうのをとどめることはできないし、肉体は同時にいつもその手前に踏みとどまっていたのである。

室伏さんを個人的に知ったのはわりと最近のことだが、彼の踊りを見たのはずいぶん昔のはずだった。彼は一九七二年に麿赤児氏とともに「大駱駝艦」の旗揚げに加わった。見たはずだと言ったのは、たぶん「大駱駝艦」でのことなのだから、あの混乱のなかで、誰が、あるいはどれが、室伏鴻なのかは知る由もなかったからである。

当時、私がまだ不良少年の頃のことだが、神戸の溜まり場だったジャズ喫茶に「大駱駝艦」のメンバーが勧誘にやって来たことがあった。「君たち、舞踏やらないか?」……暗黒舞踏がどういうものであるのか何となくはわかっていたつもりのまだ生意気盛りの私が、即座に、丁重に、お断り申し上げたことは言うまでもない。自分の肉体のことなど何が何だかわからなかったし、ましてやそいつをどう扱うのかなんてわかるはずもなかった。私がこの肉体とは別の肉体を探していたことは確かであるが、当時、自分のことに興味がなく、私はうわの空だった。

実際に声をかけてくれたのは、ビショップ山田氏か天児牛太氏かのどちらかだったと思うが、はっきりとは思い出せない。そのことを室伏さんに話したら、少しは驚いてくれると思ったのに、彼はちっとも驚いた顔を見せなかった。ただ優しく笑っただけだった。ほんの少しだけはぐれた肉体がかつてどのような体たらくであったのか、それがどんな風に自分を殴りつけていたのか、自分の皮膚をどんな風につまんだのか、そんなことなど彼はとっくに熟知していたからだと思う。

急いで室伏鴻の舞踏公演の映像を見直してみた。二〇〇三年にアスベスト館で、故土方巽夫人の元藤燁子と一緒に即興で踊った映像がある。元藤燁子と踊るのは始めてのことだったらしいが、この土方の未亡人であった舞踏家はその同じ年に死去することになる。

帽子と蜘蛛の巣の踊り。舞踏家たちの背後には三枚の真鍮の板がぶらさがって揺れていた。その一枚は師土方巽のためのものである。その舞踏の後半、室伏の踊りはいっとき激しくなり、声を発し、真鍮板をなぐりつけ、蹴り、ときには優雅に、ときには暗黒舞踏を忘れたように背中を伸ばし……それを見ながら私は感動を覚えるのをどうしてもおさえることができなかった。最後のほうで、室伏鴻の目に涙が光っているのがわかった。映像を前にして、明るい残酷な鏡に自分を映すみたいに、思わず私もまた椅子に座ったまま手と上半身だけで踊っていた。ひとりで、室伏鴻とともに。彼岸の室伏さんはきっと失笑していたことだろう。君は今頃になって僕と一緒に踊るのかい、そんなひどい病んだからだで……。

去年の十二月、京都でお会いしたばかりだった。四月の終わりになると花水木が白い花をつける川沿いの通りにある地下のレストランに入った。ビールとワインを飲んで食べた。我々は五人だった。室伏とマネージャーの渡辺喜美子、丹生谷貴志、二階堂はなと私。私は何度も彼の顔と目をまじまじと見た。室伏さんの目は優しい。何となくまた一緒に何かやれると思った。彼は体調が悪そうだった。

じゃあまた、と言って通りで別れた。振り返ると、渡辺さんと一緒に遠ざかってゆく彼の後ろ姿が見えた。コートの下から白いズボンが見えた。世界とズボンがあり、世界のなかに白いズボンが見える。舞踏家のズボン。それが世界のなかを、これから見る夢のなかにいるように雑踏を通り過ぎていった。

鳥は落ち、マントーは黙り込み、ティレシアスは何も知らない。
無知、沈黙、そしてじっと動かない青空、そこに謎かけの答え、ごく最近の解答があるのだ。
（サミュエル・ベケット「世界とズボン」）

舞踏家の肉体が死ぬことはないだろうが、室伏鴻は死んだ。我々の「死への無知」からズボンがはみ出ていた。私はそれをちらっと見ただけだったが、妙に印象に残った。後から気づいたことだが、まだそのとき生きていた室伏鴻は、世界からはみ出てしまったズボンによって「ごく最近の解答」を私に示していたのだった。

# これが実に私のからだである

フランソワ・マトゥロン

「癌にかかった言語のみが新しい教養形成に向かいつつあるのだ。」
——カール・クラウス

イエスが十字架の上で自分の肉体を弟子たちと民衆に示したとき、ゴルゴタの丘には腕組みをした悪魔がひとり岩にもたれて立っていた。悪魔はにやにやして黄色い歯を見せていた。イエスはもう死んでいた。空は急にかき曇り、稲妻が走り、ユダヤの神殿はまっ二つに裂け、崩れ落ちた。人もまばらになった嵐が丘にそいつはまだ居残っていたが、悪魔の薄ら笑いが何なのかはわからない。歴史はそれに答えない。かくして最初の事件は終わった。以下同様。

HOC EST ENIM CORPUS MEUM

## これが実に私のからだである

死せる肉体、ということは生きていたはずである肉体、その肉体の燔祭ならぬ、儀式の形を装うミサの言葉はこんな風に終わる。「ITE, MISSA EST. 行け、ミサは終わった」！　世界にふさわしくない死体がそこで示されたのであれば、そしてグノーシス主義者が言うように、知るということにおいて死体、すなわち蘇る前の死んだ肉体と世界そのものが等価なものになったのであれば、なおさら私も君たちも世界から追い出されたのであるし、お払い箱になったのである。栄光の身体はどこへ行ったのか。どのあたりを彷徨っているのか。我々は栄光の身体をもたない。さようならと言えばいいのか。いや、ここに私のからだがあるのだから、訣別の言葉などありはしない。だが肉体は用済みになったのだろうか。

文章はひとつの思考ではない。言葉はどこから来るのだろう。「私」の言葉の記憶は「私」の主体にとってどういうものなのか。

それ自体じつに驚くべきことなのだが、病人となったフランスの哲学者フラソワ・マトゥロンはベッドに横たわりながらソシュールのこんな文章を思い出していた。「心理学的には、われわれの思考は、言葉によるその表現を捨象してしまえば、かたちのない不分明なかたまりにすぎない。哲学者と言語学者はたえず一致して、こう承認してきた。記号の助けがなければ、われわれは二つの観念を明晰かつ恒常的に区別することができないだろう。それ自体として把握された思考は、必然的に境界づけるものがなにもない星雲のようなものである。あらかじめ確立された観念は存在せず、言語の登場よりも前にはなにも判明ではない」（フランソワ・マトゥロン『もはや書けなかった男』、市田良彦訳、航思社、二〇一八年）。

フランソワ・マトゥロンは、脳卒中を起こす前に、ソシュールがそうとう間違ったことを言っていると考えていたが、卒中後にその確信はほぼ彼の肉体的現実となる。思考は星雲のようなものではない。ここでソシュールの言う心理学は何の役にも立たない。少なくとも彼にとって（このことは普遍性を要求してあまりある）、それ自体として把握された（肉体をともなっと思考について語っているのだから、それ自体として以外の仕方でいったい何が把握されるのか）思考は心理学的にも言語学的にも星雲のようなものではなかった。

まずファーストネームが失われた。妻の名前も忘れそうになった。「ものの名前を思考に定着させられない」。多くの単語が頭のなかに現れては瞬時に消えてゆく。記号は、逆に思考によってそれが発せられたのでない限り何の助けにもならない。記号の助けがあろうとも、必然的に境界のない星雲のなかにあったと主張される二つの観念を、肉体的に明晰かつ恒常的にいかにして区別するのか。精神と肉体はすでに明晰かつ恒常的に分離されたのか。そんな証拠がどこにある？　まず思考は名前をもっているなどと誰が言ったのか。俺は野菜になりたくない。俺はアレではない。俺は君ではないのか？……

病院に到着した翌朝には、マトゥロンはほとんどしゃべれなくなっていた。何とか口にできた単語は「ひげそり」。なぜそれを言ったのか、それがなにを意味するのかはマトゥロンの子供たちにもわからない。神さえそれを知ることはない。マトゥロンは神ではないし、神は神でしかない。

すぐに強烈な一夜が訪れる。キャロルという妻の名前を覚えておかなくては、キャロルという名前を覚えておかなくては、覚えておかなくては、覚えておかなくては……。妻であるキャロルは再び星雲のなかに消えてしまうのか。だがキャロルは星雲のなかから出てきたのではない。この内的体験は肉体の延長の経験でもある。スピノザが言うように、身体が身体の延長でしかないならば、肉体は彼の外に出てしまっていたのだろうか。馬鹿のひとつ覚えのようで恐縮だが、たしかに肉体は肉体から抜け出すのである。そいつはどうなったのか。かつてアルトーは言っていた、「神よ、俺の肉体をどうしちまったんだ!」、と。

だがそのときから「思考の地平が安定しはじめる」。マトゥロンは思考の地平と言ったのであって、それは言葉あるいは言語の地平ではない。何が起きたのか。これはある意味でものすごい経験だと思われるが、時間が流れはじめるのである。以前と以後。時間のゼロ地点があった。つまりそこに、その経験に、「無」が、アルチュセールの言葉を借りるなら「無からの始まり」があったのである。

「まず時間のゼロ地点ができる。するとゼロ以前の時間もでき、そこでは卒中はすでに起きている。一種の時間以前の時間である。そしてはじまりが来る。無からのはじまり。そのときまで読書を通じて垣間見ていただけの思想を、ぼくは自分の肉体で経験した」。

こんなことを言えば、いまだに数々の肉体的不都合、肉体的大惨事を抱えるマトゥロンには不本意かもしれないが、ここには新しい肉体がたしかに出現しているのである（闘病生活を続けていたフランソワ・マトゥロンは、二〇二一年にコロナに感染し、逝去した）。私は不埒にも肉体の自由という観念すら思い浮かべてしまう。そして生の、生《なま》の苦しみがいつも事後的に語られることを回避できる言葉の事実性はそこから出てくるのかもしれないと思ったりもする。これは私のからだである。そう言うことができるのだ。これは私のからだではない。そう言うことはできるのか。だからスピノザ主義者である哲学者マトゥロンは、「誰が身体を、その力能を、その無力を知っているのか」とたえずわれわれに問いかけるのである。

こうして『もはや書けなかった男』という本が書かれることになる。この本は、人間の思考、哲学、文学、言語学、医学、介護の観点すべてから考えて、貴重な証言、いや、驚くべきエクリチュールである。

哲学者であり思想史家であるフランソワ・マトゥロンは、死後出版されたアルチュセールのかなりの著作を編纂・校訂した。盟友である市田良彦らとともにかつてアントニオ・ネグリを中心とする雑誌『マルチチュード』の編集委員であったし、ネグリの本『野生のアノマリー』と『構成的権力』の仏訳者である。市田良彦はこの日本語版『もはや書けなかった男』の翻訳者であるが、フランス語版原著のあとがきも書いていて、これにはいささか複雑な経緯がある。

それは突然やってきた。二〇〇五年十一月、フランソワ・マトゥロンは脳卒中に見舞われる。すぐさま入院。言語に障害が現れる。堪能だった英語やイタリア語は読解もままならなくなる。不都合は歩行や排泄その他にも及び、断続的に鬱状態がそれにともなった。二〇〇六年九月、リハビリ訓練中に、何とかしゃべれた彼は録音をはじめる。ああ、何と、書くためである。最初はテープレコーダー、続いてコンピュータの音声入力装置を使った。多くの記憶の亡失に苦しんだが、記憶は空っぽではなかった。だが、もう一度言うが、主体にとって私の現在の記憶とは何なのか？

　彼は少しずつ書きはじめる。卒中から一年後、同名の短いテキスト「もはや書けなかった男」が書かれることになる。本書を通読したいまでも、率直に言って、それにしてもどうやってこれを書いたのだろうかという思いを私は拭い去ることができないでいる。この短いテキストは雑誌『マルチチュード』に掲載されるが、これが本書の元になっている。

　少しずつ書いたものをマトゥロンは市田や数人の友人たちにメールで送ったが、その冒頭には必ず次のような言葉が記されていた。「きみにこのテキストを送る。ぼくにはこのテキストが自分以外の人のためになるのか分からない。きみには？」

　この文章もそれに対する友人たちの返答も、恐らくそのままの形で本書に何度か登場するが、これを著者マトゥロンはテキストのなかに自分の思考を強調するかのように挿入したのだから、したがって「きみ」とは読者である私や君たちということにもなるだろう。証言はそもそも個人的なものだが、ここにはエクリチュール自体の非個人性が表れていて、この非個人性は個人およびその普遍性と必然的に等価である。

私は都合三回、フランス語草稿、市田による最初の一部の日本語試訳、そして本訳書を読んだ。この本がまず著者マトゥロン自身のために書かれたのはうなずけることであるとはいえ、本書は単なる証言でもなければ（驚くべき証言であることに変わりはない）、単なる闘病記でもない（驚くべき闘病記であることに変わりはない）が、私はいくつかの点でこの「哲学的」著作に深く魅了されてしまっているのである。正直に言って、こんな本を読んだのははじめてである。これは私の経験である。だがそれが経験であるとしても、読むことはたやすい。どうやって書けばいいのか。

病に翻弄され続ける生活上の大災厄、尿や大便をあちこちで不本意に漏らしてしまう強迫的情景（「性器から糞をたれた」）は、本書のなかで何度も繰り返される忘れがたいくだりだが、これら読者を呪縛せざるを得ない（少なくとも私の場合はそうだった）記述は、まるで「閃光」のように、繰り返される始まりの閃光のように（それがニーチェの言う運命愛の悲しさを伴っていないはずはない）、何か「幸いなる罪」あるいは日常のなかにある「変様」や「欠落」のように（それが生のおかしさを伴っていないはずはない）、スピノザやアルチュセールの思考、それだけでなく例えばアルトーの墓の反対側からの叫びやセリーヌのおっさんじみた憤懣と接しているのを哲学的著述のなかに見ることができるのはとても稀なことである。それは予想どおり哲学者としては稀有に思える僥倖的情景であり、予想に反して作家としては奇跡的な力能にさえ思える。わざとやったのだろうか？　何ということだろう。言葉を失いかけた、もはや書けなかった男がこれを書いたのである。

この本には書かれたものとしての目覚しい特徴が他にもある。それが著者の意図であったにしろそうでなかったにしろ、私にはどちらでもいい。特徴のひとつは、ここで語られている、というか書きつつ流れ去った時間の見かけの上での混乱である。発作以前の時間は取り戻すことができたのだろうか。いや、時間は取り戻せない。では、それは現在の記憶なのか。一気にそこへ行こうとしても、記憶の層が雪崩を起こしているのか。それは肉体自体の力能、言葉に対する肉体のある種の反発力、その仕業なのか。記憶の欠落は記憶を絶えず埋め続けようとする持続する「私」の行為が生み出す錯覚なのか。いや、つねに記憶は、「私」が生きることによって、生きている時間によって際限なく欠落し続けている。それが普通の事態である。だがこの場合、時間の流れ自体が欠落している。仮象のように見えるものが、ここで否が応でも「私」を現前させ続けているのがわかる。「私」とは主体の妄想なのか。それとも主体が「私」の妄想なのか。「私」は書けなかった。もはや書けなかった。発作のずっと前から持続していた時間のなかでそんな風にしてどうやって書くのか。時間のゼロ地点、無の始まりがそうさせたのか。マトゥロンと比べればさしたる重大事態に陥っていない私にも、ほんの少しだけ身に覚えがあると言えば僭越に過ぎるだろうが、病人にとって過去はずっと続いている現在なのか。そんなことがあり得るのか。出来事はほんとうに起きたのか。でもマトゥロンはいっとき現在を失ったのだ。

そして人称の混淆と交差が起きる。君と私と彼と彼女は、もちろん入れ替え可能なのだ。誰が語っているのか。君なのか。マトゥロンなのか。それは本来、言葉と肉体の関係がもつ特質なのか。それならば肉体は、言葉から出てきた肉体はどこへ行ったのか。なるほどそれはフランソワ・マトゥロンの記憶であり、欠落した言語能力、欠落した記憶そのものが為したのかもしれない力能と無力である。テキストは時間のなかで不動ではない。身動きできないのは、三面記事のなかの事件であり、病床のマトゥロンがテレビのニュースで見たイスラムゲリラによって首をかき切られた気の毒な神父のほうである。肉体の外で歴史は順調に進行していたのだろうか。

こうして人称を装う概念もまたまったく不分明でしかないひとつの記憶の混乱、つまり記憶の特性のなかにあったということがわかる。唐突に、メキシコの作家ファン・ルルフォの『ペドロ・パラモ』という小説を私は思い出す。インディオの農民かメスティソの語り口、平易な語り口のこの小説は結局のところ極めて難解である。語っているのは生きている者なのか、死者なのかわからなくなるのだ。生きていると思えば、そう、死んだ奴が顔を出す。語っているのは「私」ではなく、死者であり、彼はもうそこにはいないので語ることはできないのに喋り続けている。現在は過去であり、過去はここにあって、現在は過去を、過去の出来事とその意味を、事実の向こうに、メキシコのまったき現実の向こうに消し去るが、未来はそのまま過去と地続きである現在である。

脳卒中から五年後の二〇一〇年、フランソワ・マトゥロンと市田良彦はアルチュセールの哲学をめぐるコロキウムに二人一緒に出席し、コンビで発表を行う。フランソワはまだ歩行と発話が困難な状態にあったし、介護も必要だったはずである。詳細については戦いの同伴者である市田による「あとがき」を読んでいただきたいが、この二人三脚の不思議な思考実験ならぬ言語実験、この言語の稀有な営みは、さらにアルチュセールやスピノザについてのコロキウムの発表という形で続行されることになる。本書には、その際の口頭による文章が引用符も何もなしで恐らくそのまま新しい思考実験のように挿入されている。これらの混淆的記述は望ましいもの、目覚しいものであるとさえ私には思えたし、この本にひとつの動かしがたい魅力と奥行きを与えている。

そんなこと、こんなことを行うために市田良彦はマトゥロンを見舞い、話し合い、彼の文章を読み、困惑し、助言し、同情し、同情を退け、Skypeし、メールを幾度となく送り、彼の妻と話し合い、互いが互いを照らすように自分なりに考えたことだろう。かつて議論があった。転倒と逆転があった。関係も、そして同じことだが、特殊な非関係もあった。雑誌『マルチチュード』の編集委員会では諍いもあった。他の連中がいた。国際的な人脈と言っていい。雑誌は分解した。マトゥロンが倒れたので、市田は一人でヴェネツィアに、その後二人でポツダムにも行った。市田はマトゥロンの家にも立ち寄った。飯も食った。パリではまた二人で講演をやった。スピノザをめぐって「空虚」について考えた。フランソワ・マトゥロン。大学人や研究者のいつもの常套手段なんかまったく関係ない。あいつは何も忘れていない、市田はそう思う。完全に覚えている。あいつは書けなくても、書くことを忘れていない。

二人はペーソス満載のセピア色映画のなかのユーモラスな登場人物のように、コロキウムやシンポジウムでは当然のように周囲から「浮いていた」し、しらければしらけるほど理論からも同じく自由でなければならなかった。この障碍者と一応の健常者である前代未聞の哲学コンビは、二人の師であるアルチュセールの教えに倣ったのだろうか。ある意味ではそうであるし、ある意味ではそうではない。あるときマトゥロンから市田にメールが来る。「サンタンヌにいるんだ」。つまり「気違い病院にいるよ」。市田の返事は「アルチュセールになったか」。彼らの間にはそんなやり取りがあったが、妻を殺害した後のアルチュセールには、私の想像だが、悲しいかな彼の不安な夢のなか以外に友人とのこんなやり取りはなかったはずである。

アルチュセール、スピノザ、脳卒中。

奇妙な二人。奇妙な書物。奇妙な友情だ。感動的ですらある。感動的という言葉はふとどきかもしれない。読者である私が勝手に感動しただけなのだから、マトゥロンには迷惑かもしれない。だがあえて友情をそのまま書くつもりもなく友情をめぐる本というものがある。最近読んだものでは、タハール・ベン・ジェルーンの『嘘つきジュネ』。それからアンドレ・ベルノルドの『ベケットの友情』というのもあった。同じナイーヴさなどではない。同じ虚栄などではない。そんなものはない。同じ矜持でも同じ断絶でもない。市田が言うように、理論的なものと個人的なもの、経験的なものはまったく区別できない。書くことも区別できない。書くとはそういうことでもあるのだ。偶然性唯物論がある。青空の下、暗闇のなかを（どちらでも同じことだ）ズレていくものは美しい。原子には斜めに傾く跛行性もある。跛行性を言祝《ことほ》ごう。右に挙げた他の二冊の本ともども、本書もまた未曾有の記録であり、二冊の本と同じく、あるいはそれ以上に前代未聞のとんでもないエクリチュールであって、マトゥロンと市田がともに引用するアルチュセールの次の言葉にある別の豊かな光を、ある新たな意味を付与しているのではないかと思われる。

「ぼくは自分と直接かかわりのないことを、理論においてなにも理解できない」。

自分に直接かかわりのあることとは、「これは実に私のからだである」である。

そうだ、だからこそわれわれにはそれが理解できるのだ。

# 4

# 反映

# どこにもない丘
## ピエル・パオロ・パゾリーニ

パゾリーニとイエスのことをパゾリーニにならって「無防備に」書いてみようと思う。ピエル・パオロ・パゾリーニが映画を撮り、文章を書き、あるいは論争するときも、けっして手を抜かなかったのはほんとうだろうが、だからこそ彼はいつも疲れた顔をしていたのだと思う。パゾリーニの風貌には「罪人」めいた印象があった。「苦悩する人」と「罪人」。二人いるのではない。革命的人間と宗教的人間の葛藤があったのか。それとも共産主義者パゾリーニがそもそも「宗教的」だったのか。だからといってパゾリーニの映画全般が通常の意味で宗教的だなどと言いたいのではない。パゾリーニは映画のなかの宗教を映画として攻撃することも心得ている。しかしパゾリーニの宗教的苦悶の独特さの衝撃は、私にとって何かしらの宗教的狂気にあてられたように生理的次元にまで及ぶものだった。パゾリーニを尊敬していたベルトルッチの映画にそのようなところはない。『テオレマ』だっただろうか、『豚小屋』だっただろうか、どちらかの映画を最初に観たあと気分が悪くなり、嘔吐したことがあった。それにあのパゾリーニはまるで宗教裁判にかけられたように最後に殺されたのだった。

パゾリーニは丘の眺めを、草も生えていないような荒れた丘陵を好んでいたように思う。パゾリーニの映画のなかの丘の描写はすばらしい。何かがすでに傾斜していた。『豚小屋』の火山の丘が好きだ。カメラ・ショットであることを、カメラがそこにあることを、それが映画であることを露骨に感じさせるパン・ショット。カメラがまっすぐ据えられていたとしても、すべては斜めに見える。斜線が引かれる。映画にとって世界は傾いていなければならない。パゾリーニも世界に対して傾斜していたはずだ。火山の丘はどちらかといえば、なだらかなように見える。なだらかさ、逆光、強い風、岩もしくは砂。神話のなかですでに決定的な不和が始まっていたかのように、向こうに火山の噴煙が上がる。それとも砂塵なのか。ロクス・ソルス。それは孤独の場所ではあるけれど、唯一の場所ではない。ここにも、そこにも、それっきりの場所しかない。唯一の場所などどこにもないのだから、こうして映画を観る私はまたあの丘をきょろきょろ探して矛盾のまっただなかにいることになる。

パゾリーニが殺されたイタリアの浜辺。彼の惨殺死体はひどいものだった。浜辺。キリストの一番弟子であるペテロも漁師の出身だった。ペテロもまた逆さまの十字架に磔《はりつけ》にされて殉教した。それにしてもファシストの犯罪はいつも惨たらしい。巡礼などしたこともないのに、私もまた髑髏の握りの付いたステッキをついて、あの群衆、野次馬たちに混じって、イエスの姿などもうどこにも見当たらないシャレコウベの丘に立っていた。下手をすると私も逮捕されていたかもしれない。処刑は終わった後だ。それでもイエスに似た奴を探した。そんな奴がいないことはわかっていた。群衆は引き潮に攫われたようにまばらになっている。民衆の阿片はどこにあったのか。ぺんぺん草が風になびいているのが見える。キリストを殺っちまえと激昂した者たちの憎悪、そしてこの「民衆阿片依存者の会」の集会のしょぼさ。言うほどのこともない。悲しみはすぐに癒えるだろう。すでに人の姿はほとんどない。私はそこ、十字架の下に立ってみる。それが正確に言ってどこなのかも露知らずに。不穏な空とごつごつした岩。岩の下のわずかな下草。ムカデが一匹。時おり雹混じりの強い風が吹き止まない。歴史の証言は虚しいものである。誰が見ていたのか。誰が殺されたのか。誰が書いたのか。

この日、十字架にかけられ処刑されたのはキリストと二人の犯罪者である。私は四つの福音書のなかで「ルカによる福音書」だけに詳しく記された次の一節が気に入っている。

十字架にかけられたひとりの泥棒が十字架の上から隣りの十字架上のイエスを罵る。

「おまえがメシアなら、いますぐ自分を救ってみろ」

もうひとりの罪人が彼をたしなめる。おまえは自分で罪を犯したのだから、報いを受けるのは当然だ。だがこの人は何もやっていないじゃないか。イエスよ、もしあなたが王権をもって帰って来られるときには、どうか私のことを思い出してください。

即座にイエスは答える、
「あなたに言っておく。今日、あなたは私とともに天国にいるだろう」
自分にはこの世の王権がないことをイエスは自分でわかっていたのだし、罵った泥棒も、いますぐ俺を救ってみろとは言わなかった。

ゴルゴタの丘。ラテン語で言えばカルヴァリオの丘、アラム語でシャレコウベ、つまり髑髏を意味する。髑髏、つまり君たちと私のことだ。死後の栄光などない。要するに死が勝利することはあっても、誰にとってであれ、死後の栄光など明後日の話だということである。それはわかりきったことだ。イエスに関して言えば、イエスはそこ、ゴルゴタで処刑された。しかしそれがどこにあったのか、いまでは正確なことは誰も知らない。死後の栄光は約束されていなかったところの話ではない。栄光の誉れを授かることになったのは「身体」、つまりただの死体であって、ましてやそこに死後の栄光はない。たとえ復活によって「栄光の身体」が後に顕現したのだとしても、生きていて惨殺されたイエスの身体はどうなったのか。

イエスの死体はたしかにそこにあったはずなのに、墓は空っぽだった。イエスは復活したのだから、エルサレムのカトリック教会である聖墳墓教会にイエスの亡骸《なきがら》はない。いまでもその歴史的事実は変わらない。これは正確に言って何を意味しているのだろう。かつて蘇りと昇天がおおっぴらに焦点になったことはなかったように思われる。公教要理や宗教論争の話をしようとしているのではない。私は「事実」の話をしているのだ。

恥知らずにも、アウシュヴィッツは存在しなかったなどと真顔で嘯いていたのと同じような歴史修正主義者と称される馬鹿ならびにその他の有象無象《うぞうむぞう》が日本にもいるが、ゴルゴタが存在しなかったなどということもまたあり得ないことである。聖墳墓教会？　だがゴルゴタがほんとうはどこにあったのか、いまでは風さえそれを知らないのだ。そこ、ロクス・ソルスは、ここ以外のあらゆる場所である。それはここ以外のあらゆる場所を含んでいる。

パゾリーニの映画『奇跡の丘』（一九六四年）は映画のロクス・ソルスである。どうしてパゾリーニはイエスの映画を撮ったのだろう。最初に見たときの印象はまったく思い出せない。原題は『マタイによる福音書』である。この福音書のきわめて忠実ともいえる映画化である。忠実でないのはバックに流れる音楽、その効果だけだと言っていい。バッハの「マタイ受難曲」は別にして、ヴェーベルン、モーツァルト、黒人霊歌のマザーレス・チャイルド、ソビエトの革命歌、ブラジル音楽……。

『奇跡の丘』はプロレタリアート映画である。そこに描かれているのは、革命家（つまりイエスのことだ）と群衆の関係、いかにして権力（ユダヤ王国、ユダヤ教、ローマ帝国）は、その策謀を通じていかに勝利しようとも、そのことによってつねに敗北するかということである。パゾリーニによる革命家もしくは共産主義者としてのイエス像は、ほぼ「マタイによる福音書」の言葉だけから取られたと思われる科白によって（私の不確かな記憶によるもので、調べたわけではないので自信はない)、余計に強調されることになる。説教、つまり演説の科白がこれでもかこれでもかと頻繁に出てくるのはそのためである。無駄口をきくわけには、俳優に無駄口をたたかせるわけにはいかなかったのだ。


何てすばらしい冒頭のシーンだろう。

若いマリアの顔が大写しになる。次のショットは婚約者である大工のヨセフの怒ったような顔。カメラがマリアの顔から下方へ向かい、全身を映し出す。孕んだ大きなお腹。完璧なイタリア絵画だ！　石の家。入口から、たぶんマリアの母であるアンナたちだろうか、二人の人影が覗いている。婚前のことであるし、ヨセフはまったく身に覚えがないのだから、すでに妊娠して大きくなったこのマリアの腹に困惑している。マリアもヨセフも一言も喋らない。この無言はパゾリーニ映画特有のものであるようにも、またこの場合は、いつもとは違ってそうではないようにも思う。この無言によって映画は雄弁なものとなる。怒ったヨセフはそこを立ち去る。荒野の茨の小道を歩いていくヨセフの後ろ姿。絶望的に明るいパレスチナの地。続いて丘にへばりつくように石で築かれたベツレヘムの家並みのショット。ルネサンスの画家ジョットの「ヨアキムの夢」に描かれたような姿勢で、岩にすがって眼を閉じるヨセフ。すると天使が現れる。

「ダビデの子孫ヨセフよ、妻マリアを家に迎え入れることを恐れるな。胎内に身ごもっているのは、聖霊によるのである。マリアは男の子を産むだろう。おまえはその子をイエスと名づけよ。その子は自分の民を罪から救うからである」。

それを聞いて安堵した（ほんとうなのか？）ようにヨセフはマリアのもとへと帰ってくる。微笑むヨセフ。マリアも笑みを浮かべる。語ることは何もないのだし、したがって科白はない。二人の俳優の素敵な微笑み。この短絡！　この省略！　監督パゾリーニも微笑んでいたに違いない。

パゾリーニの登場人物たちの唐突な笑いはいつも秀逸だ。プロットとは直接関係ない奴も笑ったりするが、子供たちの笑いが断然いい。この映画のなかでも気難しく神経質なイエスがたった一度だけ微笑む場面がある。ユダヤの神殿のなかで生贄売りや両替商など、商売をしているものたちに対して、いったい神殿のなかでこんなことをやるとは何事かと激怒したイエスは、店を壊し、人々を蹴散らし、乱暴狼藉を働く。これは明らかな暴力であるが、イエスはユダヤ教の神殿を成り立たせている資本主義経済自体を批判したのである。それを見て歓声をあげながら子供たちがイエスのもとへと駆け寄ってくる。するとイエスは子供たちににっこり微笑むのである。ちなみに「マタイによる福音書」にこの微笑みの記述はない。

マリアと並んで、天使も俳優の表情がいい。天使は若い。ゴダールの映画『マリア』の天使はまるで与太者のようだったが、この天使の眼差にも少しだけそのような眼光を感じ取ることができる。もう二十世紀後半にもなると、リルケがいみじくも述べていたようないわゆる「恐ろしい天使」は描けなかったのかもしれないし、せめて与太者で我慢しなければならなかった。しかしこの映画にはパゾリーニのその後の映画のような不穏さはない。それでいてイエスの革命的行脚に忠実であればあるほど、「物語」はどこか上の空のまま横滑りしていくかのようなのだ。パゾリーニの映画には地上や天上とは別の場所がある。「下界にひとつの場所がある」。彼の形而上学的「苦悩」もまたそこで描かれる事件の残像である。そこは煉獄だったのか。

パゾリーニ映画のなかで、まだあどけない女子学生であったこのマリア（マルゲリータ・カルーソ）と『王女メディア』のマリア・カラスのどちらを取るか、それが（原則的）問題である。パゾリーニの映画にはイタリア映画としてこれらの女性たちに代表されるような二つの傾向があると思われるからだ。私は聖母マリアに一票を入れたいと思う。男そして女に対するパゾリーニの（審美的）関係。ここには同性愛者あるいは仮の異性愛者としてのパゾリーニのある「傾向」を見出すことができるだろうが、いまは関係ないのでその話はしないでおこう。ちなみに、俳優たちはブレッソンの映画のようにほとんど素人である。年老いたマリアを演じているのはパゾリーニ自身の母である。それ以外には、これが特筆すべきことであるかどうかは別にして、最後の晩餐を直前にひかえたある日、イエスの髪に香油を塗るベタニアのマリア役を作家のナタリア・ギンズブルグが、キリストの十二使徒のひとりであるピリポ役を若き日の哲学者ジョルジョ・アガンベンが演じている。

メル・ギブソンが監督したキリスト映画『パッション』（二〇〇四年）を観る。映画としてみれば、パゾリーニの映画のように破綻はしていないのだろうが、私にとって一度見れば十分な映画である。ゲッセマネの園でのイエスの絶望のシーンから映画は始まるのだから、「マタイによる福音書」をなぞるようなパゾリーニの映画とは違って、この映画の全体はその題名が示すとおりキリストの「受難」に焦点が当てられることになる。イエス・キリストに対する残虐行為の描写という点では、この映画は「今風に」抜きん出ている。ユダヤ人その他による残虐性の描写は反ユダヤ主義者の映画とも受け取られかねないほど激しいものだし、実際、ユダヤ団体からメル・ギブソンは抗議を受けた。

そうだからだろうか、この映画が最も「新約聖書」に忠実であり、史実に近いと言えるだろう、とヴァチカン自らがわざわざ述べたとか述べなかったとか。史実……。たぶんそうなのだろう。だが、そうはいっても、なぜそのことをヴァチカンは知っているというのか。不思議である。科学的証拠はあるのか。ヨハネ・パウロ二世の幻視的ヴィジョンのなせる業だったのか。それは政治的ヴィジョンなのか。とはいえ私の貧弱な直観からしても、聖書の史実はいざ知らず、暴力の質という点では、同じ結論にならざるを得ない。そう思わず言ってしまいたくなる。やれやれ、これでは問いは一巡してしまう。

そもそもキリストの「リアリティ」とは何なのか。いったいそれは何のことなのか。史実？いや、たぶんそういうことではないし、それに明確な解答を与えることは永久にできないだろう、とあまりにも小心にまたは周到に言うことはないまでも、信仰や教会の部外者としては、事実と記憶あるいは書かれたものを区別できない以上、ここでは何も確実なことを言うことができない。歴史の実在論と唯名論の話を蒸し返して、話をややこしくするつもりはないのでやめておくが、ひと言だけ映画に即して言うなら、これは単に「イマージュ」自体のもつ赤裸々さにすぎないのではないか。むき出しのイマージュはイマージュの特性でもあるのだ。それは誰もが知っている映画が仕掛けるいつもながらの罠である。

ここには二重の問いがある。「事実」のリアリティと「イマージュ」のリアリティである。映画は、この場合は様々な意味で、それらを混同する格好の装置である。なぜなら映画は世界を撮っていて、それは世界に対して二重写しになるからだが、この混同は瞬時になされ、映画が時間の芸術であることをほとんどないことにしてしまうほどである。そしてこの混同があたかも再び「事実」のリアリティのように直覚されてしまうのは、「現実」のリアリティに対しても我々は宿命的に同じような混同を日々行っているからだ。勿論、我々は生活の次元においてすら、すでに「映画的効果」のなかにどっぷりと浸かっているのである。

そうはいってもこの『パッション』という映画には利点もある。科白がすべて当時のアラム語、ヘブライ語、ラテン語によるものだったことである。たしかにそれは「事実」に近いのだろう。それにイエスの母マリア役のマヤ・モルゲンステルンとマグダラのマリア役のモニカ・ベルッチがとても良かったが、これが「事実」に近いかどうかは、あるいはパゾリーニ映画の母役であるパゾリーニの実母のほうが「事実」に即しているかどうかは、私は寡聞にして知らない。『パッション』と比較して、パゾリーニ映画が一見ドキュメンタリー・タッチに見えるのは、さきほどの「事実」と「イマージュ」をめぐる問いが解決でもされない限り、単に「マタイによる福音書」に忠実である結果にすぎないからだと言うしかないではないか。キリスト映画であるからなおさら、パゾリーニは事を淡々と運びたかったのだ。すべての映画はある意味でドキュメンタリーであり、すべての映画の細部はドキュメンタリーであることを完全に裏切っている。

福音とは単に「良き知らせ」ということである。そもそも福音記者たちは最初の超越論的「ジャーナリスト」であり、近代的な意味での最初の「作家」であったのだと私は前々から思っていた。旧約聖書と比較してみれば、新約聖書におけるこれら福音書の筆致がきわめて現代的なものであることが一目瞭然であるのはそのためである。四福音書は、作家の存在論が成立し得えたそれこそ奇跡的な最初のルポルタージュなのである。

これらの記者たちは「出来事」のなかにいて、それを記述するためにだけ、ほぼそのためにだけ存在したと言っても過言ではない。他の福音記者たち、マタイ、ルカ、ヨハネたちがそれぞれの福音書を書くための原本とした、最も古いと言われる「マルコによる福音書」が、パゾリーニが無味乾燥だと考えたように、ほぼ客観的な記述に終始しているのはそのためである。聖書学者たちによればそうである。

だが、私の気に入っている「マルコによる福音書」の一節がある。面白いというか微笑ましいことに、マルコは一カ所だけ卒然とたぶんマルコ自身のことだと思わせる若者のことをそっと自分の福音書に挿入しているのだ。すべてのジャーナリストは作家であることを、どこまでも主観的であることを、事実の選別が否応なく行われることを免れることはできない。ちなみに他の福音書にこのくだりは存在しない。マタイ、ルカ、ヨハネは意地悪なことにこの部分を削除したことになる。

「ある若者が素肌に亜麻布だけを纏って、イエスの後についていたが、人々が彼を逮捕しようとすると、この若者は亜麻布を脱ぎ捨てて裸のまま逃げ去った」。

この裸の若者とはそれを書いたマルコ自身である。事実のおかしさと事実の重み……。

事実？　だがパゾリーニが殺されたのも、キリストの処刑と同じように事実であることに違いはない。パゾリーニはなぜ殺されなければならなかったのか。『サロまたはソドムの百二十日（ソドムの市）』を撮ったからなのか。コミュニストだったからなのか。それが男色の痴情のもつれによるものなどではなく、政治的背景があったことは否定しようもないだろうが、実際にそこで何が起きていたのかははっきりとは誰にもわからないままである（最近提出された証言によれば、それが政治的暗殺であったという結論に近づいているようだ）。

だが、エルサレムの紛争の宗教的要因は言うに及ばず、キリストの死がそれを我々にずっと強要しているように、我々はパゾリーニの死に対してもまた何らかの答えをすぐさま求めなければならないのかもしれない。しかし私は詩人パゾリーニ個人の宗教的ともいえる「苦患《くげん》」をあらためて思い浮かべてしまう。そして私はパゾリーニの映画自体のなかにその死の答えを探そうとする。『テオレマ』を観る。『ソドムの市』を観る。私は途方に暮れる。死はどこにでもある。いたるところに崩壊がある。コメディア・デッラルテの仮面群がギリシア悲劇の乾いた地表を通り過ぎてゆく。一方で、笑いはくぐもったままずっと続いている。明るい光の下では、イタリアはギリシアなのだ。見分けがつかない。疲れ切ったパゾリーニは世界に対してからだを斜めに傾けたまま向こうのほうへ行ってしまった。それでも私にはまだゴルゴタの丘が見えている。

パゾリーニ詩集の訳者でもある四方田犬彦の詩集『わが煉獄』から、パゾリーニまつわる詩「壕」の一節を最後に引用して筆を擱《お》く。

ああ
ピエル・パオロ、
きみは今　どこにいるのか
壕の間近なのか
そこから炎はいくつ見えるのか
水はあるのか
焦げたタイヤの臭いに包まれているのか

きみは地獄だけを
血と糞尿だけを見つめて　眼差しを閉じた

轢き潰された顔の　首筋の黒い血の凝り
生きることは過ちを犯すことだと、きみは語った
過ちは美しかった
誰もがきみのなかの預言者を怖れた
一番きみの預言を怖れていたのは
きみ自身だというのに

# 俳優は破綻する

萩原健一

やって来い、やって来い、
ほれぼれするような時よ。

あまりに辛抱したので
俺は永久に忘れてしまう。
恐れと苦しみは空に向かって立ち去った。
そして不健康な乾きが俺の血管を暗くする。

（ランボー「一番高い塔の唄」）

そんな時がやって来たとしても、映画は不健康な映画館のなかでさえ映像が矛盾のかたまりであることを主張する。それは血管を暗くする。スクリーンだけが光っている。そしてだからこそ映画は屈折光学に基づいている。製作する側も観る側もこれを免れることはできないだろう。惑星は楕円軌道を描いているとするケプラー第一法則を発見したケプラーは、望遠鏡やレンズを見るのが好きだったに違いないが、その経験もあったからだろうか、光は曲がると言ったし、デカルトは光は粒子だとした。曲がるにしろ、粒子であるにしろ、ケプラーもデカルトも、ラテン語で言う「イマーゴ」(イメージ)、光による「イマーゴ」を考えるにあたって、それでも当時は精神のありかとされた脳の作用を無視することはできなかった。ここで言う脳の作用とは、この場合、映像が我々に強要したものである。したがって、もう一度言うが、映画は屈折光学に属することしかできない。

しかし映画はこの屈折光学をある意味で後退させるのである。クリュシッポスのような古代ギリシア哲学あるいはスコラ学的な「志向的形質」、ありていに言えば、幻覚や錯覚の機能をともなうものを、映画はこの「イマーゴ」の特質のひとつとするからである。映画は現に在るものを撮っているが、そこに映っているのは、「在ったもの」を「見ているもの」とするこの志向的形質に拠っている。映画のなかで成長しようとする蛹《さなぎ》のような「イマーゴ」は、それが運動のなかにある不動の瞬間を映し出すのでないなら、そして音声イメージを含めたすべてのイマーゴを同列に置くのでないなら、あるいはこの「志向的形質」がただの言うところの幻影(ただの幻影?)あるいは詭弁であるとするなら、映画のすべての要求に応じることはできないように思われる。そしてその場合、失敗したイマーゴはむしろ映画のプロット、つまり硬直した物語のしかじかのイメージとすぐに結びついてしまうのである。

映画には光もあれば闇もあるが、映像の規定事項は生理的幻覚や錯覚をともなうこの屈折光学をそのつど物理的な形で反復させる。それが映画の全体あるいはその余韻となることもあるが、実はそんなものは現実のなかに存在しないというのに、それでもまるで現実を、現実に出来《しゅったい》する何かを模倣するかのように、この反復が映画の原理になって久しい。この反復は映画を映画たらしめている。そして繰り返されるものは、我々の見ている風景のようにそのつど脳のなかで新しいものにならなければならないのだが、しかしそれはつねに現実を再確認し再認しようとして脳から外に出たがっていることは言うまでもない。つねに映画のなかにはスクリーンを逸脱し、スクリーンから逃げ去るものがたしかにあるのだ。このスクリーンとは映画館のスクリーンであり、脳のスクリーンである。このスクリーンを逃げ出すものは、映画の理念、映画の「自由の理念」そのものを表出していると断言してもかまわないと思うが、映画において前‐物理的な光の影響を受けない最たるものなのである。

したがって映画は言うまでもなく同じく屈折光学とは別のものからも出来ている。

とりたてて悪口を言うつもりもないのだが、ショーケンが主人公なのに私にとってあまりいい映画とは思えなかった『雨のアムステルダム』（一九七五年）のなかで、わけても印象に残ってしまう台詞がある。作家で哲学者であるジョルジュ・バタイユの友人だった俳優アラン・キュニーがショーケン扮する主人公に向かって言う台詞である。

「君はランボーの詩のようだ」!!!

あまりにもひどい台詞だ。これでは昼と夜の交換、映画がつくりだす昼と夜の互いの畏れのなかで、光が生み出す事物の具現化と「イマーゴ」の連鎖は台無しになってしまう。せっかくの映画であるというのに、「光の粉塵」は消え失せる。この粉塵は、ジャン=ルイ・シェフェールが『映画を見に行く普通の男』(丹生谷貴志訳、現代思潮新社、二〇一二年)のなかで言っていたように、思いがけないイメージの効果としてどんな映画のなかにもあるのだし、またなくてはならないものだが、「私はそれを見た」とははっきりと言えないものである。それにもかかわらず映画の良し悪しはこの「粉塵」によって決定されるのではないかとさえ私は思っている。

アラン・キュニーが満を持してショーケンに惨殺されるシーンがあるというのに、それにそれが応急処置だったにしても、この映画には「あいつは赤軍だよ」などというとても時宜にかなった台詞もあったことを思えば、この「ランボー」という台詞はいかにも残念である。かつてアントナン・アルトーの『ヴァン・ゴッホ　社会による自殺者』のあれほどすばらしい朗読をやったアラン・キュニーの唇は、まるで無声映画の朽ちかけのフィルムのなかにいるかのように、とってつけたようなフレームのなかでぱくぱく動いているだけだったし、その後に続くキュニー扮する貴族の詩的独白めいた台詞は虚しく、恥ずかしくなるようなものでしかなかった。

フランスの名優アラン・キュニーを出演させたのに、何も言わずに射殺される岸惠子の演技のほうがずっとフランス映画の秀作っぽい。ただひと言の台詞が光の「イマーゴ」のつくりだす「現在」をふやけたものにし、根絶やしにしてしまう。適切すぎるあまりに不適切な言葉がショットの揺れや転位を無駄なものにしてしまうのである。小津や溝口のことは言わないとしても、黒澤明を含めて有名な日本映画はおしなべて台詞のダサさが際立っていて、台詞のタイミングも映画の辺獄でうごめく映像の「無謬や無辜を象徴するかのような毛虫」のようにのろのろしていた。私はかねがねそう思ってきた。それでは映画における基本的な表現要素である屈折光学以外のもの、そのひとつである映画の表現手段としての分節言語も、それがほとんど不要であったにしろそうでなかったにしろ、映画自体にとって立つ瀬がないのである。「イマーゴ」は台詞が邪魔になって死んだ蛹のように収縮してしまう。それでは映画はすぐさま苦境におちいってしまうだろう。

この苦境を救うものは何なのか。スクリーンからそれ自体幽体離脱のように抜け出すために、少なくともこの苦境から逃げ出す可能性のあるものは何なのだろう。たぶんそれは俳優である。素人ばかりを採用したロベール・ブレッソンの俳優起用のことなどを思ってみるなら、おそらく俳優の演技ではなく、俳優自身である。とはいえ俳優の存在感はもともとその人に備わっているものだから、ショーケンに存在感があるのは言うまでもないし、それはやむを得ないとしても、私が言っているのは必ずしも言うところの存在感ではない。スクリーンから光の粉塵とともに俳優のアウラを消せないのだから、そもそも普通の意味での存在感は映画的ではない。

萩原健一はスクリーンの俳優である。それならスクリーンに反射し発光している俳優の「存在」とはいったい何なのか。どう転んでも、そんな疑問しか口にすることができないではないか。口幅ったいことを言えば、歌手であるショーケンは映画の外では、まあ、言ってみればかっこよかったけれど、映画にとってはいただけないイメージだったとつけ加える必要があるだろうか。歌手であったことより、彼が魚屋に生まれた江戸っ子であったことのほうが映画にとってむしろ重要ではないか。

俳優萩原健一のことを考えるとすれば、まず私の念頭に思い浮かぶのは、斎藤耕一監督による一九七二年の映画『約束』である。

日本のヌーヴェル・ヴァーグが（それにフランスのヌーヴェル・ヴァーグも）それ自体どういうものだったのか私にはよくわかっていないが、それでもこの『約束』は映像の質、ショット、俳優の演技、身振りその他において間違いなく日本のヌーヴェル・ヴァーグ映画である（ひとつだけ文句を言わせてもらえば、残念なのは、この映画のそこかしこでいかにも日本風に安っぽく繰り返される音楽のセンスのなさだけである）。ブレッソンのように俳優を「モデル」として扱っていないとはいえ、有名どころの俳優を起用してはいても、起用の仕方はとても断片的で断面的であるし、シナリオはたぶんなおざりにされ、絵コンテもなかったようだし、ショットの積み重ねや切り返し、テレビドラマでは絶対お目にかかれないロングショット、もっともっと唐突でもよかったクローズアップ、人のいない風景描写、あるいは当時としては斬新な編集によって、暗い北陸の海と、冬になれば凍えるようなさびれた町の気配のなかに、暗い光の粉塵を撒き散らしている。撒き散らすと言うのが言い過ぎであるなら、あの粉塵が発光する瞬間がいくつも散見されると言ってもいい。暗い粉塵もそれなりに光の粉塵なのである。

それにしてもこの映画、あの映画のなかで、萩原健一は「七〇年安保直後の挫折」を体現していたのだろうか。それを彼は役者として演じていたのか。まさか！　「挫折」は「物の見方」であり、時間の形態をそのまま仮構する心理学に属するものであって、あれこれの時代が要請するものではない。我々は挫折などしていない。当時は、敗北したにしろ、そうでなかったにしろ、七〇年安保闘争を続行していただけである。萩原健一も挫折などしていない。言うところの彼の挫折は生理学的なものであって、彼のなかにしかないし、本人が一番よくわかっていることであるのだから、人がとやかく言うことではない。彼が逮捕されたのも病気で死んだのもその延長である。

映画その他の表現には、挫折ではなく様々な「くぼみ」があって、知的であると同時に物理的身体的ないわゆる陥没点のことだが、それが「挫折」に似てしまうのは致し方のないことである。映画は叫びに満ちているのだから、それが「子供じみた」叫びであろうと、拒否反応を引き起こすようなものであろうと、たまたま誰もが聞きたくない「叫び」のために叫んだりすると、その人は挫折しているなどと考えるのは馬鹿げている。

この「くぼみ」は時間のなかに飛び飛びにあって、それに引っ張られるようにして映画は重力をもつ。人が映画を簡単に時代に結びつけてしまうのはそのためである。そして同時にその重力が俳優を自動的に映画のなかにひきずり込む。世界は、「映画の目」（ジガ・ヴェルトフ）であると同時に観客の目によって、現実の再構成によって、ショーケンの身振りや表情、髪型、歩き方、トレンチコート、革ジャンその他のなかにしか現れない。例えば、ショーケンの仕草ではないが、この『約束』のなかで、列車の座席にいる岸惠子が床に転がるコカコーラ瓶をヒールのつま先で触れるシーンは象徴的であるし、雄弁である。我々はみんな退屈している。我々はうんざりしている。そこに映画の世界が一挙に出現する。そしてそれは我々の現実の世界の反映であったりなかったりする。この「あったりなかったり」の機微は映画を観る者にとってひとつの救いである。

ヌーヴェル・ヴァーグは映画と現実的日常の関係性のそれなりの破綻を特徴としている。とりわけ『約束』のショーケンはヌーヴェル・ヴァーグである。彼の日常、彼が映画のなかではなく現実の世界で生きている形姿を映画のなかで髣髴させるからだろうか。スクリーンの内と外。フィルムの特性を考えれば、それは同一物の永劫回帰である。スクリーンのなかに陥没したこの世界はたしかに我々のいる世界に似ている。彼はスクリーンを抜け出し、スクリーンへ戻る。そこには何の倒錯もありはしない。映画の原罪はとっくに消え失せている。戻りはするが、いずれにせよ帰るところがないのがご愛嬌である。あそこでも、ここでも、同じことが起きている。そのように映画を「行う」ことは俳優として至難の業であるのかどうか私は知らないが、それでもそれが映画のなかの俳優のあえかな「存在」の兆しのようなものであり、スクリーンの外に逃げ去ったはずのものがここでも映画をつくりだしているのがわかるのである。

観客の側としてはどうなのだろう。映画を反映するものは今見ている現実のなかにはないとしても、いや、たとえあったとしても、我々は映画館で眠りこけたりもする。睡魔の幻覚もまた登場人物たちを動かしている。彼らの映像が映画館のなか、スクリーンのこちら側をよぎり目の前を通り過ぎるのを見たことがある。この眠りもまた「イマーゴ」のなせる業であり、イマーゴそれ自体の残照であり残滓である。映画館のスクリーンの雨、絶え間なく縦に走る無声映画のフィルムの傷は、映画館から外に出てみると、そのまま外で降りしきる雨であり、この雨だれは連続し、一本の、無数の、線の影になる。

だからショーケンのトレンチコートは映画館の外に降る雨で濡れている。かつてヌーヴェル・ヴァーグのスクリーンに映し出されるジャン＝ピエール・レオやピエール・クレマンティが、パリのカフェで新聞を読んだり、スーパーマーケットに入っていったりする彼らとまったく同一であったのと同じように、映画の内の日常は映画の外の日常を地続きのまま規定してしまうらしい。つまりヌーヴェル・ヴァーグのあれらの俳優たちにあっては、そもそも映画の内と外を截然と区別できないのだ。スクリーンに映し出される映像はこうしてほとんど手で触れることのできるものとなる。これは俳優たち自身の思想に関わるぎりぎりのことだったに違いない。ヌーヴェル・ヴァーグにおいてたしかに俳優も様変わりした。しかも彼らにはなぜか愛すべきガタロのようなところがある。どこか破綻しているのである。それも含めてヌーヴェル・ヴァーグの俳優たちはショーケンとの共通点があるのだと思う。ジェームズ・ディーンはあまりにもアメリカ的なので、ショーケンはジェームズ・ディーンではなかったというのが私の感想である。

ドイツの女優で歌手のイングリット・カーフェン、その現在の伴侶であるフランスの作家ジャン＝ジャック・シュールが書いた『イングリット・カーフェン』（新潮社刊行の日本語版はなぜか『黄金の声の少女』になっている）という本がある。シュールは自分が自殺するところを撮影したと言われる映画監督ジャン・ユスターシュの仲間だったし、モンタージュのような以前の本『薔薇粉塵』にはジガ・ヴェルトフがエピグラフとして引用されたりしていて、この小説を含めて彼の作品にはとても映画的なところがある。

この『イングリット・カーフェン』には、ドイツ赤軍、バーダー・マインホフ・グループが、カーフェンの当時の夫であった映画監督ライナー・ヴェルナー・ファスビンダーに面会を求める実話らしき場面がある。ファスビンダーは恐怖を感じて外に駐車した車のなかで汗をかいている。ドイツ赤軍のテロリストたちはファスビンダーに会いたがっている。たぶん金銭のカンパを要求するためだ。だが昼間の薄暗がりに沈んだ、ひと気のないバーへ赤軍の密使に会いに行くのはファスビンダーではなく、イングリット・カーフェンである。カーフェンはスコッチを飲み終える。

男が近づいてくる。

「ライナー（ファスビンダー）はどこだ？」

「ウルリケ（マインホフ）はどこにいるのよ？」

そう言い返したのはイングリット・カーフェンである。ウルリケというのはドイツ赤軍のリーダーのひとり、赤いミューズである。ファスビンダーの妻だったカーフェンは恐怖を感じているが、とても勇敢な女性に見えたに違いない。「これはスクリプトよ！　台本なのよ！」。カーフェンはそう自分に言い聞かせ、思い込もうとする……


スクリプト？　映画のような？　それとも現実のような？　現実を模倣する映画のスクリプトどおりの現実。その現実をもう一度映画は否定しつつ乗り越えて模倣するかもしれない。だがこの往還は一挙になされなければならない。ここにやがて弁証法が生じる前に、映画はこんな風に世界をごちゃ混ぜにする。この混同と混乱が我々の日常である。我々にとってすべての出来事はほとんど映画のなかにいるようにしか起きていない。だから実際に起こったことが書かれているこの小説に登場するのがショーケンであってもちっともおかしくはない。私は妄想する。ショーケンはもう帰らぬ人なのだから無理な話だろうが、そして小説の映画化は失敗するのが常であろうが、このジャン＝ジャック・シュールの小説を映画化するなら俳優としてショーケンが登場するのもいいのではないか。映画の内と外のショーケンの佇まいは、カーフェンを脅し、万が一誘拐を決行するときのための注射器をコートのなかにそっと忍ばせたドイツ赤軍の密使にぴったりだと思う。

たぶん七〇年代初頭のことであったと思うが、渋谷でショーケンを見かけたことがあった。渋谷のジァンジァンという店だっただろうか。そこは小劇場みたいな店だったはずだが、そのとき芝居が行われていたような記憶はないし、ジァンジァンではなかったのかもしれない。憶えているのは、客として来ていたショーケンがカウンターのような席で背中を傾けながら誰かに発した東京弁の訛りだけである。「だからさあ……」。

耳は見る。現実の「イマーゴ」はいずれどこかへ消えてしまうのだから、少なくともそのイマーゴは私の耳を通過したことになる。私は彼の身振りを聞いたのだった。私は思い出そうとする。それとてもひとつの映画のイマーゴのなせる業かもしれない。でも聞いたのは日常のなかにいた俳優萩原健一の声だけで、彼が正確に何を言っていたのか思い出すことはできない。ショーケンを見たその日の翌日は、火炎瓶で車が何台も燃やされた渋谷暴動の日だったような気もするが、それもショーケンという人物らしきものの兆しが、あるいは漠然とした意味での「映画」が、そうとは知らずに私に強要した記憶違いか錯覚だったのかもしれない。いや、たしかにショーケンという俳優も崩壊しつつある日常の世界のなかで演技していたのである。すべては粉塵と化している。映画のように。

腹ばいになって泣いちまうぜ、おお、間抜けめ、
それに笑わせるぜ、おまえの許しへの名高い希望など！
俺は呪われているんだ、いいか！　俺は酔っ払いで、気違いで、青ざめている、
おまえの望みどおりにな！　いいから寝に行けよ、さあさあ、
「義人」よ！　おまえの麻痺したおつむに用などないわ。

（「正義の人」）

まだ十代だった、挫折などどこ吹く風といった感じのアルチュール・ランボーはそんな風に言っていた。だから俳優というものは、つねに酔っ払いで、気違いで、真っ青な顔をしていなければならない。

# 都市の自画像

## フェデリコ・フェリーニ

フェデリコ・フェリーニの『ローマ』。この映画はドキュメンタリー映画としても、劇映画としても、巧みに破綻していると言える。フェリーニの手腕によるのであろうが、映画自体の魔術だと思えるものが映画そのものであることを示している。だが魔術を最後まで行うには優れた魔術師がいなければならない。この映画には一冊の魔術書よりもっと多くのことが詰まっている。それらが密接に踵を接するようにめまぐるしい時間の旅へと誘う。それでいてこれはたったひとつの時間であり、時間が描く絵画であって、映画そのものである。一見、無遠慮なローマのドキュメンタリー風なのに、ドキュメンタリーはそもそも不可能であって、映画のドキュメンタリー性をカメラと演出によって主張することはそのような重大な視点を隠すことだとこの映画は教えている。

のっけから余談めいているが、画家バルテュスとフェリーニは仲が良かったらしい。バルテュスは晩年のフェリーニの肖像を描こうとしていたが、フェリーニの死によってそれが果たされることはなかった。もしそれが描かれていたとすれば、フェリーニの肖像は、かつてバルテュスが描いた画家アンドレ・ドランの肖像のように不機嫌でいかめしいものになったのだろうか。フェリーニの横には、首を傾《かし》げたか、のけ反らせたか、それとも変な具合に体を曲げた少女が描かれていたのだろうか。それは誰も見ることができない幻の絵となってしまったが、足のきれいな少女や三角形の女の子がいなかったとしても、そして見た途端にもうそこにはいない猫が描かれなかったとしても、フェリーニの自画像のほうはすでに描かれていた。『ローマ』は彼の魔術的自画像なのである。

いつもながら中世が私をおびき寄せる。かつて吹き荒れたイタリア半島全土における異端審問、凄惨を極めた拷問や焚刑。しかしフェリーニのすべての映画は反審問的である。権力や教会の権威への風刺を別にすれば、フェリーニの映画はすべてを赦しているように思われる。フェリーニという個人が赦しを施すのではない。フェリーニによる秘蹟はない。だがフェリーニにかかれば、断罪された世界は映画のなかでまったく形を変えることなくそのまま赦されるほかはないということだ。映画もまたいくら実験を繰り返そうとなかなか反世界と同等なものにならないが、映画はこうして世界のなかの反現実の反映そのものとなることができる。

だが現代にあって、ウンベルト・エーコが『薔薇の名前』で描いたような、政治的意味において最も一般的な例をあげるなら、中世以来のイタリアにおけるフランチェスコ会とドミニコ会の典型的な闘争といえども、もはや教会の内だけではなく、その外にあからさまに残存するのだろう。時にはカトリック的に見えなくもないフェリーニの映画は、それでも教会の外を指さしている。もしローマ教会が「教会の外に救いはない」とまだ主張するのであれば、最も救いがないように見えるのは教会である。フェリーニの映画には言うまでもなく救いがある。

それにしてもローマへの愛はフィレンツェへの愛ではないし、ヴェネツィアや、シチリアへの愛とも違うものなのだろう。そうであれば、囲むものが囲まれるのであれば、歴史を経たいま、結局ローマへの愛は十九世紀より遥か前から続くイタリア半島への敵意のなかから頭を擡《もた》げながらも、ヴァチカンがローマに取り囲まれているように、その敵意に包囲されてしまっているのだろうか。いや、いや、そうは思わないでいただきたい。イタリアのシチュアシアニスト、ジャンフランコ・サングィネッティは、匿名の著者チェンソールという筆名を冠したユーモア溢れる格調高き名著『イタリアにおいて資本主義を救う最後のチャンスに関する真実の報告』のなかでこう述べる。「どうか私がイタリアに対する特別な敵意によって突き動かされているなどとは思わないでいただきたい。私はインターナショナリストである」。こんな意見を言えば噴飯物と思われるだろうが、フェリーニの映画は、フェリーニ自身の信条がどうであれ、イタリア半島の歴史的混乱において、コスモポリタンではなくインターナショナリストであると言わなければならない。

フェリーニの他の映画もおしなべてそうであるが、『ローマ』には、誰であってもいいし、誰かわからない登場人物が大勢登場する。エキストラと言ってしまえばそれまでだが、この場合、エキストラはその他大勢を意味するのではない。群衆のイメージが映画の成立そのものの基底にあるとすれば、なおさらフェリーニの魔術的な手によって、またとない群衆の映画がそこに出現する。

いつ、何度この映画を見ようと、最初に受け取る印象はフェリーニにしか描けない雑多性である。それは一様に愉しげであるが、悲愴であったり、ノスタルジックであったりすることもあるし、またそうでない場合もある。この雑多性には特徴がある。イタリア人フェリーニの記憶のなかに紛れ込んださまざまな視点の即物性である。人々の仕草といえども片腕や片足だけの古代の彫像のように即物的だ。人々の笑いはコメディア・デッラルテの仮面を思い起こさせる。道化の伝統がある。だがここには何かの象徴があるのだろうか。いや、象徴と化すことのできなかった象徴の瓦礫か、それに対する批判しか見て取れない。すでに象徴は用済みになっているし、象徴は象徴として描かれてはならないのだ。

象徴ではなく、むしろ絵画。全体的絵画。パゾリーニともヴィスコンティとも趣は違うが、フェリーニの映画にも「イタリア絵画」がある。フェリーニの「絵画」は額縁のなかに固定されないだけである。そしてその視点の即物性は、過ぎゆく時間、誰のものでもない時間そのものが象嵌するイタリアの歴史の断片とその退廃のヴィジョンを、この絵画によって映画の決定的イメージとして示すのだが、それは寓意を寄せ集めはするが、それ自体寓意とは言えないものである。現代へと流れ込む複雑なイタリアの歴史。大急ぎの総決算。しかしイタリア人らしくフェリーニはちっとも急いでいるように見えない。

「アマルコルド」（私は想い出す）、フェリーニはそんな風に語る。ささやかなパーティーが終われば、テーブルには食い散らかした跡が映し出される。あたりからひと気は失せてしまった。そんな日常の光景を歴史は「私に想い出させる」のである。これは必ずしもフェリーニの個人的な記憶だけではない。『ローマ』では登場人物が一度だけプルーストの名前を口にするが、ただそれっきりで、これにさしたる意味はない。むしろ失われたのは時間ではなくフィルムの無数のコマであり、それでもこの失われたコマの行方を追いながらそれが映画となる。「私は想い出す」はとりもなおさずカメラの視点を決定するだけだ。風の吹く方向やまだ騒音や音楽がかすかに聞こえてくる方向にカメラはターンする。アングルは騒々しい町を旅するようにたえず移動することをやめない。その場にとどまるフェリーニはフィルムのなかを旅するように思い出している。

そして漂ってくる街の匂いがある。庶民の暮らしがある。イタリアの他のどこでもない、ローマ特有の、ローマにしかない時間の層があるらしい。その堆積の露われは、まるでローマへ初めてやって来た異国の画家が目の当たりにする幻覚のようである。日常の暮らしと隣り合わせに、古代ローマ以来、あらゆる過ぎ去った時代が同時にそのままの形でそこに顕れている。古代ローマから中世まで、ルネサンスから現代まで、石でできた建造物がこの綜合的幻覚の基盤となる。なぜ幻覚だと思ってしまうかといえば、そこには同時にすべての時間の残骸がそのままの形であるからだ。あらゆる残骸は険呑《けんのん》なままでありながら、それでいて美しい。そしてそれ自体は人の記憶のなかをさ迷う幻影でなく、それこそがローマの現実の姿である。残骸の全体はこれを注意深く見る者を混乱させ、狼狽させる。お上りさんである異国の画家が見た幻覚は後に神経症的なものか、それとも精神病的なものと化すかもしれないが、ただここでは、一見すると平和な日常がそれを取り巻いている。この日常のなかの退廃はある種の諦念のような沈黙であり、この沈黙のなかに騒音と唄と夜の静寂のコントラストが現れる。さらに人間たち、陽気な人間たちがいる。絶望と無駄と希望、放恣、ユーモア、哀愁、悪癖、暴力……。映画のなかで人が死んだとしても、じつは誰も死ぬことはない。死はそこにあるが、死ではない。どのように死を想おうとも、映画の外では映画は日常でなく、映画のなかでは日常は映画である。

奇妙な道しるべがあった。崩れかかった石の里程標。ローマへと続くかに思えた道はいくつもあったのだろうか。それとも道はただひとつだったのか。ともあれアウグストゥスが建てた里程標は歴史の終着点を向こうの風景のなかに示すどころか、ローマへと続いていたかに思えたすべての道をかえって霧のなかに閉ざしたのかもしれない。すべての道はローマへと続いてはいなかった。すべての道がローマへ通じていたのは、子供時代のフェリーニの記憶のなかだけである。子供たちはフェリーニ映画の主要な登場人物である。かつてフェリーニは子供だったが、誰もが悪ガキであったとは限らない。落ち着きのない子供たちはいつも爆発寸前だ。八岐に分かれる道がどこまで続いていようと知ったことではない。それに何があってもつねに子供たちを怒鳴りつける小学校の校長先生がちゃんと控えている。私はこの校長役の俳優が好きだ。怖い校長は老人の鑑か典型的な嫌われ者のようにそこにいつまでも存在していなければならない。だがジャン・ビゴの映画のように子供たちには服従するつもりなど毛頭ないし、寄宿舎の小学生たちに勉強する気配はまったくない。何かとんでもないいたずらをしでかしてやろうと、いつも手ぐすね引いている。フェリーニの映画でもお馴染みの光景だ。

立ったまま眠る男。あちこちにうたた寝している人がいる。笑いながら十字を切る女。働かない労働者。そして悪ガキたち。フェリーニの映画には若くてハンサムな優男《やさおとこ》も欠かせない。彼は主人公ではないが、ときおり女に振り回されるようにローマという都市の狂言回しとなる。

夕食時、外のテラスは人でごった返している。ほんとうに文字どおり多様な人たち。がつがつ食べられるいろいろな料理。路面電車の線路際まではみ出したテーブル。それこそ美しいローマだ。日常のいざこざに腹を立てて大声を出し、それから笑い出す人たち。いつも唄が聞こえてくる。イタリアのオペラを思い起こさせたとしても、やはり下手くそな唄だ。そしてイタリア人の食事のシーンはとても興味深いと言わねばならない。パゾリーニの映画に触発されて実際に料理をつくった人がいるらしいが、もちろんフェリーニの映画によってもそれは可能である。パゾリーニの場合は田舎風料理になるのだろうが、フェリーニ映画による料理は都会の下町風定食だろうか、それとも時にはもっと豪華でブルジョワ風だろうか。フェリーニ自身はパゾリーニよりも食いしん坊な気がする。

夜の帳が降りると、あたりはゴミだらけ。煙草の吸い殻。突如、時間がずれる。ムッソリーニ。ファシストたち。同じくファシズムに与《くみ》した民衆たちの消せない記憶。そうではなかった人々。いつ見ても変てこな芸人たちがつねに登場する。わざとらしい芸人なんかここにはいない。芸人である必要すらない。彼らはもともと心底変態だし（必ずしも性的な意味でではない）破綻している。汗臭いヤジ。演芸館や映画館に空襲警報が聞こえてくる。道端には首のとれた古代ローマの彫像。どしゃ降りの雨だ。映画のなかの映画クルーたちは雨のなかを進む。移動し続けるロケ車を撮り続けるスクリーンの外のロケ車。フェリーニ自身はあちこちに姿を現すが、映画を撮っているこのロケ車は目には見えないことになっている。廃墟が現れる。物語もまたいたるところで完全に破綻しているし、それは破綻せざるを得ない。デモ隊と機動隊。ヒッピーたち（何しろたぶん六十年代の終わりから七十年代初頭にカメラは回っていた）。ムッソリーニの亡霊。未来派の未来の亡霊。観光客。サン・ピエトロ。シエナ広場。ボルゲーゼ家。サンタ・マリア・マッジョーレ教会。再び音楽が流れる。フェリーニの映画からニーノ・ロータの音楽は切り離せない。

地上の喧騒から地下の静寂へ。いや、いや、地下もまた騒音に満ちている、なんとまだ一八七一年以来の地下鉄工事のまっ最中なのだから！　死者たちは迷惑なことに眠りを破られる。死者たち自身も忙しいままだ。ローマでは地下を掘って百メートル進むごとに遺跡にぶち当たる。アッピア街道の下、「死せる魂」と呼ばれる場所に地下の小川が流れている。カエサルの渡ったルビコン川はほんとうはどこにあったのだろう。ローマにあったという説だってある。ルビコン川は我々の想像に反してちょろちょろ流れる小川だったのだろうか。いずれにしてもいずこかで賽は投げられたのだ。

地下には共同墓地がある。地中の共同体。死者たちの共同体。カタコンベは骸骨だらけ。都市について考えるなら、死者たちの共同体を考慮に入れないわけにはいかないし、我々もまたそこに住んでいることに変わりはないのだし、地上から消えたこの共同体が死せるローマの不穏な雰囲気をつくり出しているのは間違いない。

地下深く、映画クルーは地下鉄工事を見学しに来て、ある古代ローマ邸宅の屋敷跡の発見に遭遇する。壁に穴が開けられる。激しく外気が吹き込む。穴を降りてみると、一面のフレスコ画が広がっているのが見える。次々と目の覚めるような古代ローマの壁画の数々が現れる。後ろ向きの彫像が見える。水たまりのなかにそんな座像がある。この座像は後ろ向きに何かを語り、声なき言葉を発している。現代の歴史は後ろ向きに遠ざかり、ローマの真の「時間」がここにも姿を顕す。壁という壁にはおびただしい人物像。人物像たちは時を越えてこちらを見ている。何百年経とうが、至福千年を過ぎようが、絵の眼差しは生き生きとしたままだ。だがさらに外気の風が吹きやまない。時をおかず、壁画は空気によってあれよあれよという間に消えてゆくではないか。

次から次へと掻き消えてしまう古代のすばらしい絵画！　何て美しいシーンだろう。驚きのあまりプロデューサーが叫ぶ。絵がなくなってしまう！　なす術はない。すべては手遅れなのだ。

ヒッピーたち。広場や宮殿の階段で子犬のようにじゃれ合う若者たち。恋するローマがそこにある。フェリーニはヒッピーたちに対して優しかったのだろうか。そんな風に思える。恋といえば、昔は娼館に行くしかなかったとナレーションは語る。娼婦の風俗、そのシステム、客たちの微妙な人間模様。それもまたローマの隠れたひとつの特徴となったのだろう。修道女か女学生のような恰好をした娼館の従業員たちの佇まいもさまざまであるし、ご多分に洩れず、ローマにもずいぶん年季の入った娼婦たちが大勢いるものだ。お馴染みの岩壁の母と言ってもいい。笑い。思春期、恥じらい。客のなかには老人たちも混じっている。

これと対をなしているように思えるのは、先祖代々の宮殿に住む貴族の令嬢である。令嬢といっても彼女はすでに老齢に差しかかっている。この婦人もまたローマそのものである。彼女は疲れ切った表情をしている。ひょっとすると麻薬中毒かもしれない。「忍耐の後に光は射す」のだろうか。彼女自身を含めて、みんな狂っている。招かれた、サングラスをかけたままの枢機卿。法王の友人たち、昔話。居眠り。美しい子供たち。「人生そのものが芸術でした」、すでに老いを感じている令嬢は悲しげにそう語る。ローマの時間がまたひとつ露わになる。

この邸宅で現代のファッションショーが催される。修道女のためのファッション。黒とブルーの二色。修道士たち扮する男性ファッションモデルはローラースケートを履いている。斬新な聖衣。ここに聖フランチェスコはいないし、フランチェスコ会とドミニコ会の神学論争もない。中東風のオリエンタルな音楽が流れる。ビザンチン美術の金キラキン装飾を遥かに超越し、自らの玉座へ向けて神のみ業すら超越する二十世紀風キンキラキンのローマ法王。トランススタンツィアツィオーネ、「全実体変化」！　法王はほとんど異端である。ブニュエルもカトリック教会に対してスペイン風に辛辣だったが、フェリーニのイタリア式黒いユーモアもなかなかのものではないか。

夜になった。外のテーブルでは誰かがうたた寝をしている。誰かが歌う唄が聞こえるともなく聞こえている。誰が聞いているのだろう。聞いている者がいるのだろうか。野良猫もいない。みんな部屋に帰ってしまった。唄はどの窓辺から聞こえてくるのか。もう今日の食事は終わった。あちこちに食い散らかした跡が散乱している。下町の庶民のテーブル、植え込みの向こうにあるブルジョワのテーブル。幻想がつくり出される。日々の小さな幻想、でもこれは幻想なのだ。毎日がこうして過ぎてゆく。優しく、最後は物憂げに。干渉する者がいたとしても、ここに干渉はない。元首相アルド・モーロを誘拐して殺害したとされるイタリアの極左組織「赤い旅団」がほんとうにイタリアの歴史のなかに登場するのはそれから間もなくである。

夜は更けゆくばかりだ。深夜、静まり返ったローマ。この一様な静けさはローマという時間の眠りの深さなのだろうか。何という歴史だろう。馬車の通り過ぎる音がする。貴族の屋敷街を抜けて家路につく女優アンナ・マニャーニ。フェリーニを信用していない女優は笑いながらこの映画のインタビューを断る。彼女はローマっ子のシンボルであるとナレーションは語る。貴族、娼婦、道化。彼女はそれら全部である。彼女もまたローマであるのだろう。

最後に突然爆音とともに画面が切り替わる。こうして映画は真夜中のローマの中心街を走り抜けるバイクの大群によって閉じられることになる。バイクの軍団は何も主張することがないかのようにローマをただ走り抜けるだけだ。ここにも沈黙がある。当時の政治的な沈黙である。暴走族によって夜の光のなかにローマの幻影が再び重く浮かび上がる。これまたすばらしいシーンだ。それはスクリーンを覆う光と影をはっきりと示す。ローマ帝政時代のコロッセウム、カトリックの総本山サン・ピエトロ大聖堂、幾つものバロック建築……。すべてが爆音によって沈黙を強いられ、眠れぬ人たちの夜を尻目に夜の眠りにつく。

シチュアシオニストの首領ギー・ドゥボールはある有名な本のイタリア語版序文の最後にこんなことを書いていた。「不幸で滑稽な現在のどの結果、どの計画の下にも、すべての幻影都市の避けることのできない崩壊を予告するメネ、ケテル、パルシンという文字が刻み込まれているのが見える。この社会の日々は数えられる。つまりその道理とその価値の重さはすでに測られて、軽いものであることが分かったのだ。住民は二つの派に分かれてしまったが、その一方はこの社会が消滅することを願っているのである」(「『スペクタクルの社会』イタリア語版第四版への序文」『スペクタクルの社会についての注解』所収、木下誠訳、現代思潮新社、二〇〇〇年）。
　メネ、ケテル、パルシンという謎の文字は突然現れた幻の指によって壁に浮き出るように描かれた文字である（旧約聖書「ダニエル書」第五章）。それを解読できた預言者ダニエル（ユダヤ教では預言者と見なされない）が言うには、「数える、量る、分ける」という意味であり、都市に残された日々はすでに数えられたということである。それらの文字は都市の崩壊を予告していた。その都市を治めていたペルシャザル王の治世は終わったのだった。

　私は現代の建築家に何の期待も抱くことができない。近代建築はいつも大資本と結びついて、それがかえって都市計画自体をお粗末なものに、都市を歪んだもの、無味乾燥なものにしているからだ。「ローマ」とは似ても似つかない現代都市を象徴するかのような多くの現代ハリウッド映画は、だから私にとって退屈である。退屈な映画はざらにあるのだろうが、それは世界の滅亡を下手な絵コンテのようにどんなに暴力的に描いても「都市の崩壊」そのものを表現していないように見える。だがそのこと自体が、ドゥボールが言うように、あらゆる都市計画と同じように現代都市の崩壊を予告することになる。しかしそれに反してフェリーニの映画はこのような退屈な様相からほど遠い。フェリーニの映画には、都市があれば、一方に都市を知らぬままつくり上げている「人間」がいるのが見える。おまけにどこを見渡そうと、実際、良きにつけ悪しきにつけ、退屈な人間などこの世にいないのではないかと察せられるし、フェリーニの手品にかかるとますますそう思えてくる。スクリーンの外の道行く人々を注視していればわかるように、フェリーニの描く人間たちも人生において破綻しているように見えるが故に退屈からほど遠いのだ。優れた映画はそんな風に自分を見つめるごとくじっと世界を観察し映し出している。そればかりかそこに描かれている人たちは、ある意味で階級がないように見えるではないか。フェリーニ映画の全体的効能であるが、映画のなかのブルジョワジーもプロレタリアートも階級を失った人たちのように見えないこともないではないか。メネ、ケテル、パルシン。フェリーニ映画に登場する有名無名の登場人物たちはその意味で謎の文字である。住民は二つの派に割れた。そして一方にいるこれら階級のない、つまり退屈でない人たちは、現代都市の崩壊を願っているのである。

# 歴史に反論する映画

カール・ドライヤー

　スクリーンは反映の反映でできている。繰り返しになるが、映画は屈折光学のたまものである。それは現実の反映というより、むしろ映画のなかでしか生起しない反映であり、映画は反映の反映の瞬間的表出に満ちている。何を二重に反映しているのか？　まずは「現実」あるいは「実在」の映像《イメージ》である。もうひとつはイメージ自体の反映である。その点でそもそも映画は、そのままで、いわゆる「現実」を前にした視覚的構造がもたらす効果とはまったく異なる様相を強要する装置である。

　世界は幾重にも反射され、結局それ自身に向かって折れ曲がり、光の混合のなかで世界は映画と等価なものとなる。映画はといえば、そのままこの光の往還を映し出すことによって、独立したスクリーンの芸術とならねばならない。この場合、現実に対する視覚効果、あるいは現実が与える視覚効果を鑑みれば、喜ばしくもこの光学機械は世界を複雑にする一方である。

しかも反映の反映は、対極にあるはずの影を同時にともなうことがある。光があれば、光でできていたはずである映画的な明るい闇がある。スクリーンにはいつも明るい闇があった。名作『裁かるるジャンヌ』（一九二八年）の次に製作されたカール・ドライヤーの『吸血鬼』（一九三二年）はそのような映画の白昼夢である。いつも夜がやって来るとは限らない。吸血鬼映画の場合も同じである。光のなかにこそ影があり、その光の影の背後には本物の闇が広がっていることを映画を観る我々は知っている。

デンマークの映画作家カール・テオドア・ドライヤー（一八八九〜一九六八年）の映画は、映画手法の宝庫であると言うことができる。じつのところこれら様々なアナログ手法だけで映画ができていることを人はすっかり忘れてしまったようであるが、映画の存在自体がすでに世界へのエフェクトだったのである。視覚世界のみならず世界自体がそのために微妙な変化をこうむっている。そしていまに至る映画芸術の基本的原理のほとんどすべてが、すでに無声映画の時代に確立されたのは注目すべきことである。このことは映画が何であったのかを物語って余りある。ドライヤーの『裁かるるジャンヌ』が映画史上稀に見る傑作であると言われるのはそれ故である。

ソビエトの映画監督ジガ・ヴェルトフは、映画における「生」は、「映画の眼」が現実を再認することよって表出されると言う。映画はそのことによって現実を再構成・再組織化するのだが、この映画の現実は、映画の外の現実とはまったく異なっていて、「映画の眼」こそが映像と音の現実をつくり出す。そしてこれらの手品のような結構すべてを担う手品師の眼がそこになければならないのだが、それが「カメラの眼」である。これはその本性からして「神の眼」ではないのだが、「誰が見ているのか」ということに関しては、神の眼以上のことを成し遂げていると言えるかもしれない。神も、「カメラの眼」も、自分たち以外の誰もいなくなった世界を映し出すことができるが、神が見ている世界のほうは、神による「編集」を許容しないからである。

これはテクノロジーの問いではない。映画は「誰が見ているのか」という問いを、例えばショットの切り返しによってごちゃ混ぜにし、フィルムの進行とともにその問いを不問に付す。そのようにして逆に、観客の無数の眼を含めて、「誰が見ているのか」という流動的な問いにすべての焦点を収斂させるのである。そしてそうでありながら実際の「カメラの眼」はつねにスクリーン上では不在のままである。この焦点の移動はそのままショットの経過、映画の時間の本性となる。そして映画を観ていて別の時間のなかに我々が入り込むのは、この時間が映画を観ている我々の視点を移動させ攪乱することで、「誰が見ているのか」というこの問いに対する即答を不可能にしてしまうからである。

先に挙げた『吸血鬼』が「反映」の映画であるとすれば、『裁かるるジャンヌ』は「フィギュール」（形姿）の映画である。フィギールはクローズアップによってより鮮明なものとなるだろう。ジャン＝リュック・ゴダールの『男と女のいる舗道』には、映画館にいるアンナ・カリーナ扮する主人公が、この『裁かるるジャンヌ』のルネ・ファルコネッティ扮するジャンヌが涙を流すクローズアップのシーンを見て、同じように涙を流す印象深いシーンがある。そんな風にしてスクリーンと「現実」が交錯する。それもまた、このイメージの往還それ自体が映画のなかの出来事を形づくっているからであるが、しかしゴダールによるこの印象的なシーンのカットバックは、そもそも『裁かるるジャンヌ』のなかで多用されるジャンヌ役ルネ・ファルコネッティの極端なクローズアップがなければ成立しなかった。そしてそれによってアンナ・カリーナもまた大写しになる。したがってゴダールは『裁かるるジャンヌ』のスクリーン越しにドライヤーの提示する原理をそのまま踏襲したことになるが、こうしてスクリーンは他のどのスクリーンとも同じ回路のなかにあることがわかるのだ。どれがオリジナルであるのかは、映画史を詳しく知らない我々にとってはさして重要ではない。映画はいとも簡単に光の機械的振舞いとしてこの放埒な転位をやってのけるのである。

クローズアップはどのようになされるのか？　頻発するジャンヌの特徴的なクローズアップによって、聖女ジャンヌ・ダルクの内面の葛藤の動きが浮き彫りになる。一方には、これまた名優揃いの役者が扮する、悪魔のような異端審問官たちが控えているのだが、彼らに対峙する少女ジャンヌ・ダルクは、聖女伝説のなかで語られるジャンヌ・ダルク、あるいは歴史がそれらしく語ってきた英雄ジャンヌ・ダルクではない。神への信仰、それだけに対する心の揺れ動きこそが、人間ジャンヌ・ダルクの「歴史」的真実であるとドライヤーは主張しているように思われる。裁かれる人間であるジャンヌ、人間的な逡巡を見せたり、神への勇気を奮い立たせたりするジャンヌ。そんなクローズアップをこれでもかと多用することによって、ただジャンヌの実在的イメージの反復それだけによって、逆にカール・ドライヤーは「歴史」を裁いたのである。カトリック教会がこのジャンヌの異端審問の誤りを認めたのは五百年以上後のことであり、この映画が封切られる八年前のことである。

さらに私にとってこの映画への興味は、修道士ジャン・マシュー役をアントナン・アルトーが演じていることである。初期シュルレアリスム運動の主要メンバーであり（この映画の衣裳を担当したのは同じくシュルレアリストのヴァランティーヌ・ユーゴーである）、詩人、作家、舞台俳優、映画俳優であったアルトーは、俳優の肉体を伴う演技と外部の出来事の相同性を論じた『演劇とその分身』という演劇理論書を書いたのであるが、彼の実際の舞台の映像がない以上、そしてもはや彼の舞台を観た者が誰もいない以上、アルトーの述べる俳優の身体言語の理解のためには、我々はアルトーが出演する数少ない残された映像を観るしかなかった。アベル・ガンスの『ナポレオン』と並んで本作が貴重なその実例なのである。

「神に遣わされたことをどのようにして信じ続けられたのですか」とジャンヌに語りかける（無

声映画なのだから、むろん科白は聞こえない）アルトー扮する修道士マシュー。彼とジャンヌの二人だけの対話の印象的なシーンのクローズアップは、マシューが脇役であるとはいえ、この映画の白眉のひとつである。ジャンヌ・ダルクに扮するルネ・ファルコネッティの演技も瞠目すべきものだが、サイレント映画にもかかわらず、まるでこのシーンからアルトー自身の息遣いが聞こえるようである。

ここでのアルトーの演技は、この映画の他の名優たちの名演技と比べてもきわめて独特であり、アルトーが提唱する「残酷演劇」の、かすかではあるが、ひとつの手がかりを与えているように思われる。アルトーの俳優としての身体の映像はかすかに振動しているかのようだ。修道士マシューは、感動か怒りにかられているからなのか、痙攣を起こす一歩手前のように見える。そしてここでも俳優としての身体はまさにアルトーの身体なのである。カール・ドライヤーはやはりクローズアップによってそれを強調するのだが、その意味においても我々の想像力にとって本作は貴重な映画である。すでにスクリーンから逸脱しかかっていて、いずれは映画とは決定的に訣別することになる脇役アルトーではあるが、明らかに、この役どころはこの映画に別の生を与えていると言っていい。アルトーの演技は、彼の言葉がそれを示していたように、絶えず彼自身に立ち返り、俳優それ自体を否定し、自分のなかから外へ向かって沸騰していくような演技であって、この演技は俳優の生身の身体においてついに何らかの演技であることをやめるのである。

ところでクローズアップと対照をなすのは群衆の豊かなフィギュールである。これもまたこの映画の大きな特徴のひとつであろう。実際、たとえ映画にそれが登場しない場合でも、映画は見えざる群衆をスクリーンの中か背後に隠している。いつもスクリーンの背後から群衆のざわめきや怒号が聞こえてくるようであるし、映画がいつも複数的なものから成り立っているのはこの意味においてである。そしてジャンヌが火刑に処せられることに怒って暴動を起こす群衆のフィギュールは、異端審問官たちや軍隊とは対照的に、ジャンヌの死が何に勝利したのかを雄弁に言い表している。この映画に見られる「対称性」は簡単なことであるように見えて、そうではない。あまたの映画のなかで、対称性が導く結論めいたものを含めて、それに映画的表現に成功しているものがそうそうあるとは私には思えない。

一方には町の上空を飛ぶ「聖霊」である鳩たちがいる。だが「父」も「子」もそこにはいないし、三位一体はない。これは宗教映画ではない。そして異端審問が執り行われているゴシック教会の冷たい空気に対するように、暴動の不穏な予兆のなかに群集の楽しげでもある様々な生活がまず描かれる。ドライヤーのその手法は、まるでフェデリコ・フェリーニのそれを思い起こさせる（もちろんこれを先に映像にしたのはドライヤーのほうである）。この楽しげな群衆の生活は、すぐさま一枚の紙を裏返すように、火刑の場面で暴動となり、弾圧による阿鼻叫喚となる。

映画はこうして同じように映画を観ている我々の歴史的時間を再びごちゃ混ぜにするだろう。この混同は、異端審問を行う教会の動かぬ冷たい空気という「抽象」と、群集の暴動という「具体」によって、映像のある種の幾何学を鮮明にするのである。「歴史」はこの幾何学を認めないだろう。一見単純にも見えるこの幾何学は恐らく熟考されたものであり、この映画にある種の深みを与えていることは間違いない。

カール・ドライヤーは、映画の最後で、火刑に処されたジャンヌにもたらされる神の恩寵をただ空に舞い上がる鳩によって表した。ただそのことだけによって、「歴史」の雑説に逆らうかのように、映画の遠近法がそこに出現する。こうして映画は歴史に文脈ごと反論したのである。

# 5

# 生

# ニーチェを讃える

ニーチェがついに発狂したのは「神」が死んだからではない。われわれが代わりに神の座に据えたのは、否認でも、忘却でも、無の意志でもなかった。殺害された神の代わりをしたのがなおさら理性や人間でなかったことは誰もが知っているであろう。フランス革命はその意味では反動の権化であった。血まみれの「至高存在」は滑稽極まりない。女神「理性」もいないし、いたとすればただのありきたりの性悪女でしかない。サドならそう言っただろう。ジャコバン派からナポレオン崇拝者になった画家ダヴィッドも、七月革命の「自由の女神」を描いたドラクロアも、残念ながら出る幕はない。理性の女神は耐え難い。「理性」は女神であったり、女神になることなどないし、女神などと言っても、背後には死の宗教が君臨しているのであるし、いずれにせよどこにでも苦し紛れに生の否定を本業とする組織と連中がいるのだ。われわれひとりひとりの手は殺害した神の血で汚れている。ニーチェはそう言っていたのだった。

だがこの死んだ神とは唯一の神であったのだろうか。無神論が男子女子一生の仕事であったとしても（ニーチェの情けない妹のことはさておいても、普通、女子の場合はなかなかそうは言えないところがあるなどと考えることは、差別というものの根幹に関わると思われる）、そして無神論者であるにはアウグスチヌスを読まねばならないとラカンがいくら言い張ろうとも、神が死んだことは、信仰者にとっても、またそうでない者たちにとっても、日常的に単に都合の悪い事態であった。それは宗教が神経症のひとつのモデルだったからではなく、理性の歴史的存立の条件が、いくら自らの特殊性を否認しようと、そもそも宗教的なものを免れていないからである。ジョルジュ・バタイユが言うように、われわれは獰猛なまでに宗教的なのである。そうであれば、単にそれがただの霊廟、墳墓でしかないとしても、神の霊廟、神の墳墓はそれほどまでに堅固であるというのだろうか。

ところで、はたして殺神事件の現場はこの世界のどこなのか。あの広場なのか。はっきり言って、ゴルコタの丘なのか。それとも死んだのは名前を発音できないもっと古い別の神なのか。犯行はいつなされたのか。モーセもまた殺され、神も殺された。「神はどこだ？」と叫んでいた目撃者はカンテラを掲げねばならなかったのだから、夜だったのか。夜になる前なのか。それにこの場合も第一発見者が犯人のひとりだったことは明らかであったとはいえ、死体検案書はあったのか。解剖はなされたのか。情況証拠は揃っているが、科学的証拠による事実認定はなされたのか。そんなものは学者に任せておけばいいのだが、彼らには、他にもやりきれないことに遺体を葬る墓掘り人夫の労役がまだ残されている。それにもしニーチェが殺害行為に重きを置いたのであれば、この事件の犯人とそれを裁く裁判官は、しかも犯人は複数なのだから、複数犯とすべての法官は法の名において同一なのである。

「神」は死んだが、それなら「神々」は死んではいないのであろうか。唯一の「神」はまさに妬む神であったが、「神々」のほうもまた自然への恐怖や運命の残酷さ、あるいは死から人間を解放するどころの騒ぎではなかった。しかし神の死体の腐臭（ニーチェがすべてを語らなかったというわけではないが、腐臭はすれども、死体の在りかがどうもはっきりしない……）にはいつまでも辟易とさせられるのが本当だとしても、われわれが一度として信仰したことのない、あるいは全身全霊で信仰したかもしれない唯一の「神」のことなどどうでもよくなるときがある。神と神々の神性の違いがわれわれにはどうも判然としない。それに関しては、われわれはずっと長いあいだ知らんぷりを決め込んでいて、「文化への不満」などと口にしながら嘘の上塗りをやっているのだとも言えるのである。それとも唯一の「神は偉大なり」と叫ぶ人たちや、骨肉の争いを続ける、その不倶戴天の敵である兄弟たちの宗教は、ともに死の宗教、もっと言うなら死んだ神の宗教なのであろうか。

それでもやはり神々がいたらしい……。だからニーチェは幾度となく古代ギリシアに思いを馳せたのだろう。神々はいまやカオスのどのあたりにいるのか、とかつて人は問うたことがあった。愛すべきヘラクレイトスやソクラテスやディオゲネスやエピクロスやルクレチウスやクリュシッポスその他をわれわれがむやみやたらに援用し、アイスキュロスやソポクレスやエウリピデスによって人間的感情の激発の原型が提供されたと考えたりするのは、そしてニーチェがピンダロスに救いを求めたのは、あの神的運命の一撃のような致命的葛藤や手に負えない混乱が、決定的に過ぎ去ってしまったように思われる時間のなかにあっても、われわれが日々接している葛藤や混乱とほとんど同じものであったことをうすうす感じていたからである。人にはエピクロス派あるいはストア派を選択する自由はあるが、ニーチェとギリシア人たちに反して、これらの葛藤や混乱を、人間だけがそれを知りそれを受け取ることのできる人間的事象であると後々考えるようになったのは大いなる誤りであった。この点に照らせば、「幻想の未来」などない。大昔に抑圧がどのようになされたにしても、幻想が幻想のままであるのか、そうでないのかが問題である。神々は、そして神々の原理もまた、人間自身や世界の原理と同様に、まさに今でも闘争状態のなかにあることは明白だからである。

世界の前にカオスがあり、世界はカオスから生まれたのだから、世界がカオスから切り離されているとするのは、原初の観念が行うペテンでしかない。世界自体はいまでもカオスである。ヘシオドスの『神統記』にどのようにしてガイア（大地）が生まれたかについて記されていたとしても、そのことをすでに古代ギリシア人たちは知っていた。神々は原初の神カオスのなかにいたことになるのだし、神々自体の運命がカオスの振舞いにとてもよく似ていたからである。ガイアはカオスの一部でしかなく、カオスからまず生まれたのは幽冥界と夜なのだから、ガイアがカオスの性質を受け継いでいることは言うまでもない。しかもカオスは裂け目でもあるのだから、カオスは収束しないし、閉じることもない。崩壊と同時に再生する世界の前と後、内と外があるとすれば、そしてそれらの離接と褶曲があるとすれば、それもまたカオスであるからである。

ギリシアの神々は「不幸」が最初から否応なく存在していることを教えた。というか、迷惑なことに、ある意味では勇気をもってそれを人間に命じた。ニーチェの言う運命愛があるとすれば、つまり必然性のなかに存在が捉えられているとすれば、それはこの命令に端を発し、人間だけではなく最初から神々自身をも巻き込んでいるのである。必然性は神々と人間たちの不幸を前提としている。神々はこの人間たちの不幸（つまり結局それは神々の不幸それ自体である）をもって自らの不在証明としたが、あるいは宗教的であるほかはない人間たちがそのように思い込んできたのであるが、それは児戯に等しいことであった。不幸という星座がわれわれと神々の頭上で燦然と輝いている。ギリシア神話やギリシア悲劇を繙くまでもなく、「神性」から「精神」が演繹されないのであれば、なおさら神々と人間はかつて相関関係にあったし、厳密に互いを照らし合う、悲喜劇的な決定的相同性をもっていたのである。神々は人間の欠如を補いはしなかったし、むしろその逆であった。神々が人間と似たり寄ったりの境遇であり、人間とすれすれのところにいたことをギリシア人たちは痛いほどわかっていたのである。

しかしながら神も神々も、われわれの肉体を通過し、またわれわれを立ち止まらせるかに錯覚させる「瞬間」をどうすることもできなかった。ニーチェの永劫回帰の観念には、神々に対するひとつの回答を思わせるところがある。ほんとうに瞬間は神々の君臨する終わりのない時間の一部なのだろうか。そうだとしても、われわれの経験はそれを全面的に否定することができる。そしてこの瞬間は「不幸」が提供したものなのだろうか。そう考えることができるはずである。死に至る病はこの瞬間の反復に起因する。だがもし行動が時間のなかでなされたにしても、この一点において、瞬間が充満するとき、行動は果たして不可能であったのであろうか。

この「瞬間」という門を挟んで二つの道が延びている、とニーチェは言う。道はずっと続いているが、これらの道の先に果てがないとすれば、この掟の門もまた時間の「全体」には属してはいないし、というかむしろ時間という道の途上にあるはずのこの門は、数学的に言って、それが有限ではない時間の一点に置かれているとすれば、全体と同形であり、全体と等しいことになる。瞬間は飛び飛びに偏在しているのではない。

しかも直線に見えるすべての直線は直線ではないし、末端において道は曲がっている。そうであれば、道は円環をなしているのであろうか。そうではない。季節は巡っても、季節は円環をなしてはいないし、それどころか最近では季節は消えゆく運命にあるではないか。季節はひとつしかない。地獄の季節である。瞬間を挟んだわれわれの生活である。

パリ・コミューンの頭脳であった革命家ルイ・オーギュスト・ブランキも、生涯の最後に幽閉されたトーローの監獄要塞でニーチェと同じようなことを考えていた。難攻不落の要塞は荒波の打ちつける孤絶した断崖の上に建てられていた。時間の無限性と物質の有限性についてはもうここで問わずにおくとしても、しかしこのようなものだけが思考と呼ぶにふさわしいように思われるのだ。

全人類は、その生涯の一瞬ごとに永遠である。トーロー要塞の土牢のなかで今私が書いていることを、同じテーブルに向かい、同じペンを持ち、同じ服を着て、今とまったく同じ状況のなかで、かつて私は書いたのであるし、未来永劫書くであろう。私以外の人間についても同様である。すべての地球は、そこで再生し再びそこに失墜するために、次から次へと復活の炎のなかに呑み込まれてゆく。それは永遠に倒立を繰り返して自らを空っぽにする砂時計にも似た単調なサイクルである。新しいものはいつも古く、古いものはいつも新しい。

（『天体による永遠』浜本正文一訳、岩波文庫、二〇一二年）

ひとつだけ違いを挙げるとすれば、ニーチェはひとつの決定的ヴィジョン（つまりこれはイマージュであるし、しかも半分は物質的、半分は波動的意味におけるイマージュであって、表象などではないことを何度も口を酸っぱくして言っておかねばならない）を得たのであったが、ブランキは行動家ブランキらしく、それはあくまで行動のヴィジョンであった。かつて私は書いた、私はこれからも同じ姿勢で、同じ部屋で、同じことを未来永劫書くであろう。
　これは新しい形の不幸の表明なのであろうか。この不幸は決定論に、それとも確率論にくみするのだろうか。イマージュであれ、行動のヴィジョンであれ、回帰する「同一のもの」が、仮象のなかにある瞬間の差異と関わりをもつとすれば、この同一のものが決定される前にそれは間違いなく非決定として回帰するのである。
　しかしニーチェがかつて永劫回帰の直観を得た岩の上で、ロシア人作家アンドレイ・ベールイもまた同じように神経発作を起こしたのであるから、これらの経験はそれ自体僥倖としての強度の矛盾であり、固有のものですらなく、形式的区別の必要もないのかもしれない。いかに頑固一徹、不退転のブランキといえども、たとえブランキという「私」が書いたのであっても、インド人が言うように、「それ」が書いたのであるし、「汝」は「それ」であると言えないこともないからである。

やはりここでニーチェの言葉を引用しておこう。

　お前が現に今生きていて、これまでも生きてきたとおりのこの人生を、お前はさらにもう一度、そして幾度となく生きねばならないだろう、そこには新しいことは何ひとつなく、それぞれの苦痛と喜び、それぞれの思考と呻き声だけではなく、お前の人生の言い尽くせぬほどの大事や小事のすべてが、お前に向かって回帰してくることになるのだ、しかもすべてがそのままの順序と脈絡にしたがって。――あの蜘蛛も、あの枝間から洩れる月光も、そしてまさにこの瞬間と私自身も。実在の永遠の砂時計は、いつまでもあらためてひっくり返され続ける――それとともに、おお、塵のまた塵の粒たるお前もまた！

（『喜ばしき知恵』村井則夫訳、河出文庫、二〇一二年）

月光が誰も見てはいない梢の間から零れている。月明かりを浴びて濡れたように光る蜘蛛の巣。大きな蜘蛛がそこを這ってゆく。門の外でぼそぼそと囁き交わす声がする。この光景は、回帰する同じ第二の光景と似ているのであろうか。だがそれは後から俯瞰され思考された事態である。反復がなされたにしても、類似や同一性はこの永遠に回帰する瞬間の思いがけない結果であって、その原因ではない。反復はあり得るはずのない偽の全体から眺められた事後の結果であり、仮象のなかでしかひとつの動かぬ帰結を逸脱することはできない。そうでなければ、永劫回帰を回帰しないものと同等の差異の固有の力であると言うことはできない。ニーチェが最後の手紙のなかに書いていたように、私がすべての歴史上の人物であり、仏陀であったとしても、この場合、それ自体における同じ経験はないのである。

あの瞬間に何が起こったのか。あの瞬間に、どこそこで、瓦解する世界のあちこちで、世界のずっと片隅で、いたるところで、月明かりの下を蜘蛛がゆっくりと這っていく。「あの蜘蛛も、あの枝間から洩れる月光も、そしてまさにこの瞬間と私自身も」、じつに喜ばしいことに、いまでも時間の表象を、表象そのものを、そしてその歴史を崩壊させ続けている。この否定性は頼もしいものである。蜘蛛と月明かり、この瞬間と私自身は、いつでもカオスの渦の上に反射し、そこに映し出されている。水面に映った睡蓮自体の影と睡蓮が光からなる世界の表面ではまったく同じものにしか見えないように、永劫回帰は類似性の循環ではなく、それでいて第一の永劫回帰は第二の永劫回帰と同じものでしかないが、それはそのつど初めてのものとして経験されるのである。経験は一回こっきりのものであり、取り消すことができない。反復の基盤はない。したがって瞬間の基盤もどこにもないのである。

# ブランキの宇宙

ずいぶん昔の話だが、高校生のとき、いくつかの大学や高校のバリケード封鎖や集会にのこのこ出かけて行くと、大学生たちに「お前はブランキストだ」と糾弾されたことがしばしばあった。いじめのような侮蔑的嘲笑もあったし、非難や糾弾だけではすまない流血沙汰もあったが、まあ、今となってはそれはどうでもよい。

「ブランキスト」(ブランキ主義者)というのは、当時は揶揄や蔑称に近く、無計画で、理論も綱領もなく、破壊だけが目的の、展望も何もない過激主義者であり、ただの思慮のない無責任な跳ね上がりというほどの意味だった。当時、マルクス主義以外の政治活動家では、私はブランキとサン＝ジュストが好きだった(サドをフランス語で読むようになってから、サン＝ジュストについての考えは変わったが)。

はっきり言って、当時の私は、誰もが口にする展望も総括もどうでもよかった。そんなものは持続のなかにとどまることであって、愚かにも敵の論理にくみすることだと思っていた。すべてはあらゆる事象を成立させている持続の琴線を断ち切ることにかかっているのだ、と。時間は、歴史的なそれをも含めて、瞬間の外に追い出さねばならず、すでに追い出されたのだ、と。

革命を殺害した民主主義ヨーロッパの死のリストに激昂してブランキはこう言っている。

明日の革命を脅かすものは、いかなる暗礁であろうか？　それは昨日の革命を瓦壊させた暗礁、護民官に化けたブルジョワどもに集まった嘆かわしき人望という暗礁である……反動が民主主義を惨殺したのは、反動が自らの使命を果たしたというだけのことにすぎない。罪は、信じやすい人民が指導者として全権を委任したにもかかわらず、その人民を反動の手に委ねて省みなかった裏切者どもにある。

（『革命論集』上・下、加藤晴康訳、現代思潮社、一九六七年）

フランス革命とロベスピエールについてはどうなのか。ブランキはかなり時代の先を行っていたと思われる。至高存在のテロリズムに関して（テロリズムはフランス革命の発明である）、ブランキはフランス革命と袂を分かったのか。しかも面白いことに、ブランキの次の見解はサドのそれにかなり近いものがあった。

教会の香炉持ちの奇怪な論理！　理性の祭典は、大道芝居の一場面、民衆の良心の堕落、恥辱に満ちた混乱でしかない。至高存在の祭典は、崇高な儀式、すべての人民の崇高な躍動、良心の復活、大地と天上との和解である。前者には地獄の乱痴気騒ぎしかないが、後者には天の愛餐がある、と。だが実際、彼らは二つの示威のどこにこういう対比を見出すのか？　これらの祭典の道具立てや象徴のなかに、どんな違いをとらえることができるのか？　演出は全く同じなのだ。一方は理性、他方は自然、どちらもともに神格化には満足だ。精神主義的な好みをそれにあてはめるなら、もちろん叡智の顕現たる理性に対してであって、物質の表現である自然にではない。だが、どちらが上位かという議論はたくさんだ。

（前掲書）

マルクスは一八五〇年に「フランスにおける階級闘争」のなかで最初にプロレタリア独裁を標榜し永続革命を宣言した革命家としてブランキを賞賛していたが、そうは言っても、当時私を批判した大学生たちも、それに私もまた、ブランキの理論がどういうものなのか、それほど、いや、まったくと言っていいほどわかっていなかった。エンゲルスがブランキのことを「過去の革命家」であると述べたものだから、みんなそれを鵜呑みにしていたのだ。私はエンゲルスの言うことなど歯牙にもかけなかったが、ただ誰もが知っていたのは、事の正否はいざ知らず、ブランキが、近代的意味において、行動の面における「過激主義者」の最初のイメージを間違いなくつくり出したということだけである。

いでたちはいつも黒ずくめ、禁欲的にして頑固一徹なルイ・オーギュスト・ブランキは、一八三〇の七月革命以来、十九世紀フランスのほぼすべての革命的動乱に加わった。一八四八年の二月革命、一八七〇から七一年にかけてのフランスの危機およびパリ・コミューン前夜のすべての革命的事件に関与した。一八七九年には、獄中にあって、議員に選出された。

秘密結社めいた閉ざされたグループと少数精鋭による政治的暴動。コミューン派には、プルードン派も革命的ジャコバン派も第一インターナショナルもいたが、しかしブランキはパリ・コミューンの頭脳であり、行動のあれこれの実践的指針を示すことのできる頼もしい指導者であった。彼は後世のゲリラ戦の原型を提供したのだとも言える。そのためにブランキは通算三十三年にもわたって牢獄に監禁されることになった。拘束と追求尋問を計算に入れれば、四十三年にも及ぶ。これに匹敵できるのは、やはり生涯の大半を監禁の日々のうちに過ごした十八世紀のサド侯爵くらいしか私には思いつかない。いくら政治体制が微妙に変化しても、ブランキは十九世紀のあらゆる政体によって囚人となったが、これも十八世紀のすべての政体によって否定され監禁されたサドとそっくりなのである。

プロレタリア独裁による自治政府を宣言したパリ・コミューン。ブランキは敵ヴェルサイユ政府によってコミューンの内乱勃発の前夜に逮捕された。パリ・コミューンでは多くの凄惨な血が流れた。内戦と血の一週間があった。ヴェルサイユ軍の虐殺によって不退転の革命も全滅に近かった。コミューン派の多くの人々が死刑、禁錮、流刑、強制労働になった。ランボーもロートレアモンも当時同じ空気を吸っていたことになるのだし、彼らの書いたものはそれと無関係ではあり得なかった。

「血が流れた、青髭公の家で、――屠殺場で、――円形競技場のなかで、そこでは神の封印が窓を蒼白く染めた。血と乳が流れた」(「大洪水の後で」)、ランボーは『イリュミナシオン』のなかでそう言っている。

この屠殺場にあって、ブランキの革命家としての政治的真価を示すひとつのエピソードが残されている。ブランキは欠席裁判によって国家反逆罪で死刑を宣告され、すでに述べたようにコミューン勃発の前日に逮捕されたのだが、ブランキはコミューン政府の大統領に選出されていたので、捕虜交換が自ずと提案されることとなった。コミューン自治政府はパリ大司教を含めた七十四人の人質と、コミューンの頭脳であるブランキただ一人の交換を時のヴェルサイユ臨時政府に要求したが、しかし臨時政府の首班であったティエールはこれを断固として拒否したのである。

パリ・コミューン勃発前日の逮捕によってカオールの監獄に収監されていた老ブランキは、一八七一年五月二十四日、秘密裡にトーロー要塞に移送され、そこでの監禁の日々が始まる。三百年は閲《けみ》するこの古い要塞監獄は荒波の打ちつけるブルターニュ半島の岩礁の上に築かれていたが、聞きしにまさる恐ろしいところだった。

ブランキの収容された土牢にはほとんど陽が射さなかった。ブランキを救出しようとするコミューン側の不穏な動きもあったし、ブランキには脱獄歴もあったので、最初ブランキの所在は極秘事項だった。外部との連絡は完全に絶たれた。これはいままではじめてのことである。警備はすこぶる厳重だった。報復を恐れて、ブランキを投獄したのは自分であると名乗る者はいなかった。すべてが法律を無視した不法逮捕だったからだ。海に面した窓は塗りつぶされ閉ざされたままだったし、湿気だらけの壁からは硝石が噴き出していた。荒波の音が強迫観念のように絶えず押し寄せ、風があると不意に潮の香りがするだけである。どんな出口もない。

ブランキはモン・サン＝ミシェルの過酷な牢獄など数々の監獄を渡り歩いてきたが、この難攻不落のネズミの棲家は最悪だった。寄る年波もあった。おまけにものすごい騒音が聞こえるのだ。地下牢などが共鳴箱となって、歩哨や巡邏隊や賄い人などの人の声、足音、歌声、その他の騒音が昼夜を問わずブランキを苦しめた。発狂してもおかしくはない。これは現イスラエルのモサドなどが使う拷問の手法を逆転させたものに近い。「俺を墓のなかに閉じ込めたのなら、せめて墓なみに静かにしてもらいたい」、ブランキはそう訴えたほどだった。

ほんとうだったら間違いなく自分が先頭を切っていたはずのパリ・コミューンの革命的動乱に獄につながれたブランキは加わることができなかった。五月下旬になると、パリのバリケードは血に染まり、陥落していった。パリの街路のマロニエの根元でいたるところから腐臭がした。あいつは、あの男は、あの腹心の部下、あの若者たちは生きているのだろうか、死んだのだろうか。ネズミの走り回る牢獄につながれたブランキには何もできなかったのだ。

その年の秋が来ると、牢獄の寒さと湿気が彼を襲った。ブランキにできたのは牢獄の窓から、星空を眺めることだけだった。星々があり、そして見えない星があった。星々は永遠にまたたいているはずだった。革命 révolution という言葉には、「公転」という意味がある。地球は太陽のまわりを公転している。恒星はといえば、銀河の中心とこの恒星とのあいだに存在する全物質から重力の影響を受けている。自由を求める革命はぐるぐると同じ軌道を廻っていて、この引力の軛《くびき》に絶えずさらされている。ケプラーの第三法則はこの軛の証明である。

そしてなんと老ブランキは、ここ、この孤絶した牢獄で、一冊の天文学の本を書くことになるのである。美しく、詩的で、驚くべき『天体による永遠』である。すでにからだを壊していた革命家は、その死まで十年足らずしか残されていなかった。言うまでもなくこの本を書くことは、老革命家にとって苦い救済となったに違いない。ブランキは妹に手紙を書き、なかなか本は届かなかったが、当時の科学書籍、ラプラスやバビネの著作を送ってもらうように頼んでいる。

すでにモン・サン゠ミシェルの牢獄で、星を眺めながら、ブランキは「天体が無限に存在するのだから、地球も数多くあるはずだ」と考えていた。これは異端として一六〇〇年に火炙りの刑に処せられたドミニコ会修道士、『無限、宇宙、および諸世界について』の著者である神学者ジョルダーノ・ブルーノの主張と同じだった。自説の撤回を断固として拒否したブルーノは、火刑台の上で、「私より私に刑を宣告した君たちのほうが、真理を前にして恐怖に震えているではないか」と言い放ったと伝えられている。ヨハネ・パウロ二世の英断によってブルーノの異端審問が誤りであったとカトリック教会が認め、審問の判決を取り消したのは、一九七九年になってからである。

ブランキはこの本『天体による永遠』で、彗星と黄道、宇宙の誕生、物質の有限性と宇宙の無限について論じているが、ラプラスの宇宙開闢論、とりわけ当時優勢だったその彗星理論を批判している。ルネサンス絵画、例えばジョットの絵にハレー彗星が目をみはる形で描かれていることを見ればわかるように、彗星は人々にとって元来不吉で「奇妙な天体」だった。「自由」な天体という観点から、すでに絶望的な孤絶を感じていたはずのブランキには彗星に対してとりわけ愛着があったようなのだが、ブランキはラプラスの理論の曖昧さを指摘し、まるで革命の挫折が公転によるものであったかのように、彗星は引力の法則から逃れることはできないと断じている。自由と自由に見えるものは違うのである。

さらに原始星雲と彗星物質を同一視していたラプラスをブランキは批判するが、ブランキに分がないとはいえ、現在の科学的知見に照らしてブランキの考えがどうだったかということについて私は興味はない。

ブランキは牢獄のなかで宇宙の謎、つまるところが自身の謎でもある謎に直面していた。だから革命家はこの本を書いたのである。

自然を構成する元素の数は限られている。有限物質の組み合わせは膨大な数にのぼるが、それでも無限ではなく、有限である。そして宇宙の果てのどんな天体からも我々の知る元素が検出される。それはスペクトル分析からも明らかである。つまり宇宙は同じような物質で満たされている。しかし宇宙の果てはない。どうやっても宇宙の果てを考えることはできないが、宇宙が無限であると考えることはあらゆる点で理にかなっている。しかし宇宙が有限であることはできないのに、宇宙を構成する物質は有限である。いくら数を無際限に加えていっても、いくらそれを知性が承認しても、この潜在的無限は無限の一歩にすらなることはない。これはどういうことなのか。ブランキの見解はこうである。有限から無限に至るには、あらゆる物質的事象は無限に反復されねばならず、同一物も世界も果てしなく繰り返されねばならないのではないか。ブランキは牢獄でそう考えた。同一の地球、同一の太陽は、宇宙が無限であるためには、無限に反復されねばならないのだ、と。永遠はそのときしかめ面をやめるのである。

芥川龍之介は、すでに大正十二、三年頃ブランキの言う「無限」について『侏儒の言葉』のなかにこう記している。

　宇宙の大は無限である。が、宇宙を造るものは六十幾つかの元素である。是等の元素の結合は如何に多数を極めたとしても、畢竟有限を脱することは出来ない。すると是等の元素から無限大の宇宙を造る為には、あらゆる結合を試みる外にも、その又あらゆる結合を無限に反覆して行かなければならぬ。して見れば我我の棲息する地球も、――是等の結合の一つたる地球も太陽系中の一惑星に限らず、無限に存在してゐる筈である。この地球上のナポレオンはマレンゴオの戦に大勝を博した。が、茫々たる大虚に浮んだ他の地球上のナポレオンは同じマレンゴオの戦に大敗を蒙つてゐるかも知れない。……

これは六十七歳のブランキの夢みた宇宙観である。議論の是非は問ふ所ではない。唯ブランキは牢獄の中にかう云ふ夢をペンにした時、あらゆる革命に絶望してゐた。このことだけは今日もなほ何か我我の心の底へ滲み渡る寂しさを蓄へてゐる。

ルドルフ・シュタイナーは、ラファエロの絵画「システィーナの聖母」についてこの絵のラファエロの表現は停止した一瞬であり、これこそが永遠を封じ込めたと言っていたが、この絵がそうであるかはともかく、瞬間の停止こそが永遠を示すのだということ、そのためにはニーチェが言うように、永遠が形あるもののなかに現れるためにはこの一瞬の映像が無限に反復されねばならない、ということはうなずける。宇宙のなかで同一物は無限に反復されねばならないのである。この壮大な本のエピローグの最後のほうでブランキはこう言っている。繰り返しになるが、もう一度ここに引用する。

地球も、こうした天体の一つである。したがって全人類は、その生涯の一瞬ごとに永遠である。トーロー要塞の土牢の中で今私が書いていることを、同じテーブルに向かい、同じペンを持ち、同じ服を着て、今と全く同じ状況のなかで、かつて私は書いたのであり、未来永劫書くであろう。私以外の人間についても同様である。

すべての地球は、そこで再生しそして再びそこに墜落するために、次から次へと復活の炎のなかに呑み込まれてゆく。それは永遠に倒立を繰り返して自らを空っぽにする砂時計にも似た単調なサイクルである。新しいものはいつも古く、古いものはいつも新しい。

（ブランキ、前掲書）


これを書いたのはニーチェではなく、発狂しそうな同じ単調さと幻滅を来る日も来る日も牢獄のなかで味わい続けたルイ・オーギュスト・ブランキであった。かつて私は書いたのであり、今も書いている、そうであれば未来永劫書くであろう……

# 不安な夢はずっと続く

ルイ・アルチュセール

夏の病院はどこかいつも夏の終わりを思わせる。蟬の鳴き声は聞こえていなかったが、蟬の抜け殻が私の妄想のなかに散乱しはじめていた。この妄想は穏やかなものだが、私自身も蟬の抜け殻だったのかもしれない。いつもより混んではいないが、それでも綜合病院なのだから、大勢の人がうろうろ行き交っている。待合室でぼんやり車椅子の老人たちを見るともなく眺めていた。痩せこけた老人、笑っている人、明らかに不満げな人、介護人に一方的に喋りつづけている人、じっと前だけを見据えている人、うなだれて半分眠っている人……。彼らは人生の最後に差しかかっているのだろうか。

だが人生の終わりは、年齢に関係なくどこにでもある。終わりは生の条件を規定するが、生の条件が終わりのなかで何事かを主張することなどほとんどないといっていい。終わりは後ろからやって来るのか。目の前にあるのか。終わりがただの強迫観念でないことは蟬の脱け殻と死骸が証明しているし、しかも始まったものは終わるに決まっているが、終わりはいつも「事後」にしか自明なものとならないではないか。延期された行動、絶望の後の諦め、放棄と少しの希望、ささやかな喜びの予感。そして終わりがやって来る。確信がどこにあって、それが何を促しているかは、いまここではっきり述べることはできない。その段では、患者である私も、患者を診る医者だって同じようなものである。

不吉な事柄すべてをそれとなく隠しているのは、この平和な病院だけではない。二〇一六年七月、養護施設で重度の障害者たちを殺害したあの男の犯罪は心神耗弱による犯罪などではない。ごく少数のプロによる殺人をのぞけば、戦争も含めて、どんな殺人でも、それが実行される刹那、「狂気」が介在しないことはなかったであろうが、殺人の動機と言われるものは、たいていの場合「理性」のなせる業であって、「狂気」とは恐らく無関係である。あの男が「狂人」ではなく、ただの「差別主義者」であって、あの犯罪がヘイト・クライムの一環であることは一目瞭然であるのに、大マスコミはそのことに触れようともしない。これはいったいなんなのか。われわれ全員が、たぶんあの男と同じように、「早発性痴呆」のもたらす根絶やしにされた「感情」の虜になってしまっているからなのか。私の意見では、これはどこかで何かの「出来事」が起きたということではない。そうではなくあの犯罪があの男の痴呆的な「思想」によって「意図的に」、ある意味、過去を振り返るように引き起こされたのである。一線を越えるには理性が必要であり、この場合も、暴力は知性に反するものではないのである。

病気にもいろいろあるし、病気も様変わりする。精神科医と称する人物が、例えばいつものようにあの男の「ファミリー・ロマンス」をしかるべく調べ上げたりするかわりに、思いつきのように、あるいは待ってましたと言わんばかりに、大麻精神病などというきわめて非科学的なシロモノまでもち出している始末である。大麻性精神病があるのならアルコール性精神病も巷に溢れかえっているのだから、そんな精神病のことを云々するのはまともな医学のすることではない。あの男の殺人の衝動に感情的なスイッチを入れたひとつの要因をドラッグだとどうしても言い張りたいなら、大麻などではなく、むしろ脱法ドラッグの誰も知らない複雑怪奇な薬理作用のほうを研究すべきである。そう進言しておこう。だが問題は言うまでもなくそんなところにあるはずがない。

この男の論拠は社会にとって不必要なものはいらないというものだったが、不要なもの、役に立たないものを抹殺していいという考えは「合理主義」などではない。有用なものから成り立っていると称せられる世界では、重度障害者たちではなく、理論的に言って、むしろわれわれ全員が不要なのである。違うと言うのなら、我々がそこにいる有用な社会なるものをすぐさま示してもらいたい。そんな証拠を見せられるものなら見せてみろ、と有用な社会機構それ自体に向かって私は言いたいし、私自身が無用の長物なのである。したがってこの事件は差別主義者による虐殺でしかない。アクチュアルなものも含めて悠久の歴史を眺めてみれば、そんな例には事欠かない。われわれはそれを不幸なことだと思っているが、おぞましさは普通にわれわれの日常のなかにあって、日常のあれこれを骨抜きにしてそれをつくりあげてきた。何度となく！　差別？　どんな差別主義者も自分が差別されることを恐れている。差別は差別する側のさもしい本性を白日のもとに曝け出すためにあるのだからなおさら恥ずべきものであるが、そうはいっても各人が自分の胸に手を当てて思い起こしてみればいい。それどころかあの男はヒトラー主義者であるらしいし、実に言うも恥ずかしいことだが、たしか憲法改正に関して、副総理であった麻生太郎による「ナチスの手法を見習うべきだ」という発言が公の場でなされたにもかかわらず（麻生がかわいいなどと言われるのは、麻生がとんでもない馬鹿だからである）、あきれてものが言えなかった人たちを除いて、大マスコミの誰もが問題にしようとはしなかったような異様で「特殊な」社会にわれわれは暮らしているのだから、あの男がやったような犯罪が実行されるのは、言ってみれば時間の問題だったかもしれない。その意味で、残念ながらこの事件はひとつの「真理」を開示している。したがってこの事件は、アルチュセールの言葉を借りれば、「国家のイデオロギー装置」の囲いのなかにあると言っていい。国家的イデオロギー装置があの哀れな許し難い男をつくり上げたのだ。このような社会では、「国家のイデオロギー装置」は以前にも増してますます幅を利かせ、ショートして出火するまでつけ上がるばかりである。大量虐殺に憧れる早発性痴呆がそんな政治に鼓舞されても不思議はない。

フランスの哲学者ルイ・アルチュセールもかつて「早発性痴呆」と診断されたことがあったら

しい。病名はすぐさま取り消され、重度の鬱病と訂正されたようだが、ずっと後の一九八〇年十一月十六日、朝の九時頃、アルチュセールはその妻エレーヌの首を絞めて殺害する。そのとき十一月の灰色の光が射していた、と彼は自伝のなかに書いている。

この事件が起った時のことはぼんやりと覚えている。世界中が驚愕した。私もまた事件の一報を聞いて少なからずショックを覚えたことを思い出す。時代を代表するきわめて独創的で、犀利な、気鋭の哲学者であっただけではなく、アルチュセールは全世界の左翼の大星雲における希望の星ともいえるマルクス主義理論家であったからだ。私が彼の哲学、その「マルクス主義哲学」も「偶然性唯物論」もちゃんと理解していましたとここで胸を張って言うことはとてもできないが、哲学者としての彼の文章がとにかく気に入っていた。彼はすばらしい書き手だった。才気煥発を地で行くマルクスの文章を思い起こさせた。レヴィ＝ストロースは本を書く前に必ずといっていいほどマルクスの『ルイ・ボナパルトのブリュメール十八日』を読んで自分を鼓舞していたらしいが、（一部のマルクス主義研究者を憤慨させることをあえて言うなら）ロマン主義的なところがあったといってもかまわない高揚したアルチュセールの文章にも、そんなマルクスの文章に近い抑揚があった。

この事件の後もアルチュセールは読まれ続けた。それどころか若い世代によって「左翼のための」彼の哲学は近年いっそう有名になった感がある。勿論、この事件によって彼のかつての思想が根底から揺らぐということはないし、またそうでなければならなかったというのは私にも理解できる。しかし私が目にした限りでも、彼ら、若い研究者を含めたほとんどがこの事件を棚上げしにかかっているのではないかという印象をもたざるを得なかった。率直に言って、このことは一読者として私の不満を募らせた。その理論装置だけではなく、アルチュセールの全体を知りたいのは山々だったし、哲学者に何を起きたのか知るには隠蔽がなされてはならないのだ。

アルチュセールは事件の後「免訴」となったが、免訴の決定の後、措置入院によって精神病院に収容されることになる。免訴は、それに対する評価がどうであれ、この社会のなかの居場所を完全に失うということである。事件の本質はおろか、事件の当事者の弁も明らかにはされない。彼は「行方不明」を余儀なくされる。免訴によって裁判は行われなかったのだし、彼は病院に入ることによって、つまり「狂人」になることによって、その弁明の機会、自分の起こした事件への返答の責任を社会によって拒絶されることになる。そうこうしているうちに、自宅に戻ったり、再び精神病院に入院したりした後、アルチュセールは死去する。

そして彼の死後、自伝である『未来は長く続く』（宮林寛訳、河出書房新社、二〇〇二年）が刊行されることとなった。これは哲学者の自伝としては破格のものだったし、必然的にも思える彼のひとつの回答であったことは間違いないだろう。このような明晰な回想録は親族三人を殺害したピエール・リヴィエールの手記（フーコーを参照せよ）以来のことであろうし、自分の犯罪を含めてこれほど詳細な自己弁明にはなかなかお目にかかれるものではない。殺人を犯したルネサンス後期の芸術家ベンヴェヌート・チェッリーニの『自伝』といえども、この超絶的彫刻家は途中で筆を折って投げ出しているし、事件と自己の歴史についてのこのような詳細な記述、ましてや回答じみた分析は望むべくもなかった。しかしこのアルチュセールの自伝は非常に興味深いものではあるが、その面白さゆえに、どこかしら宙に浮いたようなところがあった。前言を翻すようなことを言えば、かえって彼の作家としての力量がそうさせたのだろうか。そんな風には言いたくないが、彼の「哲学」と「狂気」が、エピソードの外ではかえって見えにくくなってしまったように私には思われた。

ところが最近、少なくとも私にとってさらに興味深い本が翻訳された。ルイ・アルチュセール『終わりなき不安夢』（市田良彦訳、書肆心水、二〇一六年）、彼が自ら綴っていた夢の記録である。これでわれわれのためにアルチュセールの仕事の環が一応閉じられることになったが、この本が驚天動地のものであることに変わりはない。

おまけにこの本のエピローグには「二人で行われた一つの殺人　主治医作を騙るアルチュセールの手記」という、私の知る限り、どんな哲学、どんな文学の歴史にも他に類を見ない、瞠目すべきテクストが収録されている。アルチュセールが自分の主治医に見せかけて、殺人を犯した自分についてアルチュセール自身がまるでテクストの外にいるかのように語っているのである。「きみ」と「ぼく」を巧みに使い分けて。ただし「きみ」と「ぼく」をいくら使い分けようとそんな手品のからくりの結果はすぐに見破られることであるし、このテクストを書いたとき、アルチュセール自身がこの奇妙なテクストの構造の不分明な効果を強く意識していなかったなどとは考えられない。このテクストは恐らくは「かつての妄想」の外で書かれたのだろう。だがそれが書かれた瞬間はいざ知らず、アルチュセールはいずれこれが刊行されるだろうということすら見越していたとも思われる。未来を見越すという点でこれに匹敵できるものがあるとすれば、自分がこの世から忘れ去られることを空とぼけて宣言したサド侯爵の遺言くらいしか思いつかない。アルチュセールはこのテクストで、「書き手」つまり「私」、そして「きみ」と「ぼく」という奇妙な構造のまま自分自身の「精神分析」を行っているのである。詳細は、周到にして非常に示唆に富んだ本書の訳者市田良彦の解説を読んでいただくとして、いま私には読んだばかりのこのテクストと夢の記述について理論的な考察を加える余裕も力量もないが、気づいたことをほんの少しだけ述べたいと思う。

例えばこんなくだりがある。

極論すれば、二人（アルチュセールと殺害された妻エレーヌ）が無意識にそれぞれ望んだこの役割の逆転は、事後にしか存在しない。出来事が起きたから、それはある。きみが無意識に彼女の死を望んでいたとすると、殺人は計画的であった（無意識による）ことになるかもしれないけれど、それでは無意識の幻想に本来もっていない役割を与えることになる。事後（役割の逆転という）が意味をもつのは、出来事が起きたからでしかない。役割の逆転という表象がその体をなすには、第二の時間（出来事）が決定的だ。取るに足らない人間に、永遠に悪者でいさせてやることは、取るに足らないことからの究極の救出にもなる。批判はすべてぼくが背負い（マスコミを見よ)、彼女はかわいそうな犠牲者になる。とにかく無意識のなかにはあらゆる幻想がある。幻想が行為を決定したなどと言っても、論理的、機械的な演繹にすぎない。出来事や行為のなかで、ものごとがそんなふうに起きるわけがない。

(「二人で行われた一つの殺人」)

だからといって、アルチュセールは殺害の衝動の瞬間に「ほんとうに」何が起きたのかを語ってはいないし、語ることはできない。この構造の結構にしてからが、原理的にそうなのである。事後の語りとしては、「ほんとうに」何が起きたのかは誰にも知ることができないのは言うまでもないではないか！　事後的に袋小路を指し示す殺人者のこんな言は犯罪の被害者やその家族を怒らせるだけだろうが、出来事に、事実に、「そと」がないのであれば、アルチュセールは、スピノザ主義者として、全体の外にはじつは何もないのだ、神さえも、ということをわれわれに突きつけているとも言えるのである。全体から射影すれば、「事実」にはたしかに形式らしきものがあるが、彼の見ていた「夢」と同じように、あるいはそれと対をなすかのように、この形式は空っぽであり、空虚であるほかはないということなのか。

やけに細部が際立つ彼の夢はエロチックなものとそうでないものもあるが、彼が女性との性愛、あるいは女性自身の性愛に強くとらわれていた人であることはよくわかる。フランス共産党の心強い同志であり、レジスタンスの闘士でもあった、年上の嫉妬深い妻エレーヌとの関係に彼の性癖が強く影響を及ぼしていたこと、アルチュセールが多くの女性を「愛した」こと、そしてそのことが殺人と無関係ではなかったというのはたぶんその通りだろうが、私にはこの点について言うことは何もない。しかし彼の夢にはもっと別の事柄、もっと不吉な夢との関係、そしてそれとは対称をなすことがけっしてできない非関係が刻まれているようなのだが、この夢のなかで「主体」はすでにして無意識の主体ではあり得ないように思われるのである。

市田良彦の解説からアルチュセールの文章を孫引きしよう。この文章は「言説理論に関する三つのノート」(『精神分析論集』所収)のなかの一節である。

「自我分裂 Ich-Spaltung」に関して「無意識の主体」を語ることは間違いである、と私には思える。分裂した、分割された主体はない。まったく別のものがあるのだ。すなわち、「自我」のとなりに「分裂」がある。言い換えると、まさに深淵、断崖、欠如、裂開がある。この深淵は主体ではなく、主体のとなり、「自我」のとなりに開ける。

彼の夢の記述と手記はこのことを証明して余りあるのだが、これはかなり興味深い見解である。自我とはまったく別のものがあって、しかもそれはその隣にある。主体は分割されていないし、何かしらの深淵がそれに接している。ということは危機にさらされた主体ではあるが、それ自体は崩壊していないことになる。精神分析理論は自我が分裂するのだと言っていたのだから、アルチュセールの言う主体は精神分析が述べる「無意識の主体」とはまったく異なるものである。アルチュセールはそこに現れるものを裂け目のようなものだと言っているように思われるが、何の裂け目なのだろう。それなら深淵自体がはじめからあって、それが口を開けたということになりはしまいか。それとも、むしろ別の得体の知れない主体というものがあるのだろうか。主体は増えるのだろうか。主体に別の不吉な主体がつけ加わるのか。それは増殖するのか。

ところで、一方で、アルチュセールは精神分析を受け続けていた。自分の哲学の糧としながらも批判的に読解したのはジャック・ラカンの思想だったが、分析を受けるために彼が通いつめた精神分析家はラカンではなかった。自伝『未来は長く続く』にあるとおり、ラカンとの関係は思想家どうしの付き合いだけではなかったのだし、その関係が複雑であったことは想像にかたくない（私には、ラカンの娘に恋をしてしまったマルクス主義人類学者リュシアン・セバーグが自殺したとき、分析医であったラカンがあわてふためいてアルチュセールに相談するという『未来は長く続く』のエピソードが印象的だった）。

しかし、いずれにせよ、被精神分析の経験はまるで招かれざる客のようにアルチュセールの夢のなかにまで入り込んでいる。むしろ私にはそれは長い間むりやり性行為に及んだレイプ犯か押し込み強盗のように思えてくる。フロイトが報告しているシュレーバーの神のおかま堀りのことを言っているのではない。たとえアルチュセールが色情狂だったとしても、このレイプ犯をアルチュセールが自分のうちに甘受できたということではない。ラカン派は精神分析を受ける者を「分析主体」と呼んでいるが、だからといって何かが変わるわけではない。分析主体など、はなから自分が腑抜けの主体、カカシになったことを診察室のなかで自ら認めることではないのか。ラカンが日本語のシニフィアンの特性として日本人は精神分析を受けることができないと言ったことを信じているわけではないが、精神分析を受けたことがない私ですら、この本を読み進めているうちに、アルチュセールが精神分析を受け続けたことそれ自体が彼の妻の殺害と無関係であったとはどうしても思えなくなったのである。精神分析的思考の道筋が、その硬直した強迫、精神に対して強いられる言語的ともいえる論理的連関、それ以外を認めない宗教的ともいえる硬直した言辞、分析家あるいは精神科医とのぬきさしならぬ日常的関係と非関係が、アルチュセールに殺人という行為の最後の引き金を引かせる結果になったのではないか。これではヴァン・ゴッホと同じじゃないか！　こんな意見が突飛であることは重々承知の上だが、最後にそのことを指摘しておきたい。

アルチュセールが好んだ比喩を使うなら、彼は走っている列車から飛び降りたかったのか、それとも停まっているにしろ、全速力で走っているにしろ、その列車に飛び乗りたかったのか。私にはそのどちらでもないような気がする。アルチュセールにとって、不幸なことに、その列車の運転手は精神分析家でしかあり得なかったように思えるからである。そして行き先は、ありふれた、しかし殺伐としたどこかの終着駅でしかないからである。

汽車から降りても、未来はずっと続くのだ。

# 『ナジャ』異聞

　さほど偏愛していなくても、何度も読み返してしまう本がある。私にとってアンドレ・ブルトンの『ナジャ』（巖谷國士訳、岩波文庫、二〇〇三年）はそのような本のひとつである。そして他の本もそうであるが、『ナジャ』もまた読むたびに印象が変わる。そのときどきに知らずに強調され、浮き彫りのように目に飛び込んでくる横滑りのような箇所がある。

　印象が変わるということは新しい発見があるということだが、悦びばかりとはかぎらない。そこには読者自身をついでに否認するようなネガティヴな事情も含まれる。どんな本も時間とともにあるのだから、これは本質的な事態である。こちら側の個人的な思考の成りゆきのせいかもしれない。それは時が過ぎ去ったことを示しているのか。不運なことに、時間の経過というのはそういうものかもしれない。あの瞬間、この瞬間は煙のように消え失せる。読書とて同じである。何も読み取っていなかったのだと言われればそのとおりだろうが、生活は本のなかへ流れ込み、本は生活のなかへと流れ出すのだから、新たな反証や反省、含羞や面映さもまた降ってわいたような省察のひとつとなる。思考は赤面することもあれば、はたまた深まることもあったりする。

かつては「ナジャ」と言えば、少なくとも私のかつての知り合いを思い浮かべてみるなら、読書界のみならずある種の世界では、男性も女性もそれが何のことであるのか知らない者はいなかった。そういう名前のお店だってあったし、日本の都市をくまなく探してみれば、自分でそう呼んだのか人がつけたのか、「ナジャ」というニックネームの女の子をたぶん十人くらいは見つけることができただろう。ブルトンの「ナジャ」には新しい女性像としてそれほど強烈なものがあった。「女性らしさ」の神話が壊れ始めた時代だったのである。もしかしたら、たとえブルトンの本を読んでいなくても(!)、「ナジャ」が誰であるのかおぼろげにわかっていた人もいただろう。

若者たちは自分の彼女やそうなるかもしれない女の子たちに「ナジャ」を探し、見つけようとした。街をほっつき歩き、向こうの街角を回ってみたら、ブルトンのように「ナジャ」と出会えるかもしれない。期待や希望はその反対物の不吉な予兆であることがあるが、青春に希望があるというのはその意味ではほんとうである。「ナジャ」はとにかく「母」ではなかったし、たぶん誰にとっても想像しうるかぎり母の原型とはかけ離れたイマージュだった。しかもイマージュの潜在性は現実化することがあった。だがこれは男という間抜けの勝手な思い込みだったのだろうか。このイマージュの確実さには何の保証もないし、「ナジャ」の面影は非決定的なもので、場合によっては私の「ナジャ」と君の「ナジャ」は似ても似つかぬものであったかもしれない。いずれにしてもナジャは坂本睦子ではない。私は何もかも忘れてしまったわけではないが、自分も含めたあれらの若者たちにとって、「ナジャ」はいったいどんな女性で、誰だったのだろうかとあらためて思ってしまう。

ナジャはブルトンとシュルレアリスムのいわゆる「客観的偶然」に彩りを添える存在であったことは間違いないが、射程があまりにも広かったその様相にはほとんど超自然的ともいえるところが見受けられた。ところが、今回読み返してみてわかったのだが、ナジャがそのような存在でなくなるときがあることにブルトンはすでに気づいているのである。ナジャは生身の女性だ。ナジャはときには「身を誤る」ことがある女であり、女性として最も哀れで最も無防備な女であったとすらブルトンが思い直す場面がある。ナジャが語る過去の生活のこまごまとした話をいささかうんざりしながらブルトンが聞いたときのことだ。ナジャはビヤホール・ツィンマーで、品のない男の誘いをふざけたように拒んで顔の真ん中に拳骨を一発くらい、血を流し、逃げ出すまでの間に男のシャツを血だらけにしたという話が述べられている。ナジャは下世話な日常を生きる蓮っ葉な女であり、一方でブルトンが、そして我々がそう思っていたように、つねに妖精メリュジーヌではなかったことになる。

かつての私は軽率にも読み飛ばしていた。その後もブルトンはナジャと会うことをやめていないが、少しずつ彼女の存在は遠ざかる。ナジャは、ダ・ヴィンチが言うような「コーサ・メンターレ」（精神の事柄、知性的なもの）ではない。ブルトン自身の告白によれば、ナジャのなかに災いをすら見たのである。災い……。災禍？　ブルトンはそれに惹かれてそのようなナジャを破滅的に愛したのではなく、情けないことに尻込みしているように見える。ブルトンは自分の生を何が裏切ろうとしているかにとても敏感だった。ナジャが「ファム・ファタル」（妖婦）であったといえばそれまでだが、身勝手ともいえるブルトンの崇高な詩的理想は明らかに別のところにあったはずである。「ナジャ」という小説はその意味でブルトン自身にとって破綻しているのである。

この本は小説としてはじめて写真が挿入されていることからも、いわゆるフィクションの感触だけでできた作り物であると考えることは難しい。シュルレアリストの友人たち、エリュアールやアラゴンやエルンストも実名で登場する。『ナジャ』はブルトン三十二歳のときの作品であり、シュルレアリスム思想の命運が賭けられていたのだから、ブルトンの「侮蔑的告白」はほんとうのこと、事実に基づいていると考えるしかない。それなら実在のナジャという人物像に対して、変遷というか、心変わりというか、ブルトンの見当違いがあったのか。それを無理やりブルトンの日常に溢れる当時の詩的直観で塗りつぶしてごまかしたのだろうか。ブルトンにとって最も寂れた場所であるドーフィーヌ広場がそうであったように、ブルトンには忌まわしいもの、厭うべきものに対する嗜好や関心がたしかにあったが、ナジャはこのかぎりではない。私はこの点でブルトンに批判的である（ブルトンがシュルレアリスム運動の独裁的な法王だったかどうかは私にはどうでもいい)。『ナジャ』におけるブルトンのいささか歯切れの悪い逡巡は、たしかにつねに保持された詩的高揚とその厳格さによって隠され、それに紛れてはいても、しかしこれでは「客観的偶然」は無傷ではいられない。

読みながらそんなことを考えていたが、ああ、そうだったのだと思って、私は少しばかり途方に暮れた。私はナジャ自身の人物像にも軽い幻滅を覚えもした。だがこれは行きずりの読者である私自身の問題であって、この本自体の価値がどうのということではない。それで思い直しましたぱらぱらとページをめくっていたのだが、前々から気になっていた箇所にまたしても目がとまった。何度目かの読書以来、どうしてもそこに目がいくのである。

そのくだりとはこれである。

私はフローベールを崇拝するものではないが、それでも彼自身が打ち明けているとおり、フローベールは『サランボー』に対しては「黄色の色彩の印象を与えたかった」だけであり、『ボヴァリー夫人』には「何かわらじ虫がいる片隅のあのカビの色である感じを出したかった」だけであることが私に保証されるなら(……)、結局のところこれらの文学外的関心によって、私はフローベールに対する好意を抱く気になるのである。

(『ナジャ』)

以前からこのくだりが引っかかっていた。じつに聞き捨てならない。古代カルタゴを舞台にした歴史物である『サランボー』の「黄色の印象」というのは私にはよくわからないが（戦いが砂漠のようなところで行われていたからだろうか……）、田舎の生活に倦んだ女性が都会生活に憧れて破滅する物語である『ボヴァリー夫人』の「カビの感じ」というのはわずかなりとも理解できるような気がする。小説全体を通じてフローベールによるボヴァリーの生き生きとした活写は見事だし、目をみはるものがあるが、わざとらしい古臭さには笑ってしまうし、しかもカビの色自体は小説の色彩としてなかなか悪くない。

それにしてもフローベールの部屋の隅っこにはわらじ虫がうようよいたのである。わらじ虫はだんご虫とは違い、もっとグロテスクな形をしているようだから、これは想像するにいただけない。ランボーのカルティエ・ラタンの下宿、屋根裏部屋の瓦の下にもわらじ虫がいたようだし、パリにはわらじ虫が沢山いるらしいが、私はわらじ虫の形が嫌いである。うようよいる様はもっと嫌である。うようよいるわらじ虫のカビ臭い隅っこは暗がりのなかでぼんやり緑がかっていたのだろうか。ぞっとするではないか。もっともブルトンならではというか、すぐに続けてこのわらじ虫の気持ち悪さを打ち消すようなことが書かれているのではあるが……

「クールベの絵のすばらしい光は、私にとって円柱が倒れたときのヴァンドーム広場の光である」。ナポレオン一世の銅像を冠したヴァンドーム広場の円柱は、パリ・コミューンの革命の際に破壊されたが、それを指揮したのはコミューン派の長官だった画家クールベ自身である。

黄色の印象やカビの色の感じを与えるために小説を書く。たぶん至難の業《わざ》であるし、とても高い目標ではないだろうか。私には小説における道徳的目標などより小説芸術にとってそちらのほうが高次にあると思われるし、それこそ形而上学的欲求に裏打ちされたものだと言ってもいいくらいである。小説に美学の入り込む余地があるとすれば、それこそが小説の美学ではないか。美学にもいろいろある。オスカー・ワイルドや三島由紀夫の小説にだけ美学があるわけではない。

問題は想像力に限られるのではない。目の端に瞥見《べっけん》されるものだってある。よそ見をしているときにちらっと目に飛び込んでくる瑣末なもの、些細なものがある。棚から偶然落ちてくる本その他のもの。おまけに目の前にはページが開かれている。これもまた客観的偶然のなせる業である。そして埃のようなもの、吹けば飛ぶようなもの、書いている本人だけではなく、読んでいる本人以外の誰にも気づかれないもの……。フローベールの場合は、カビの色を与える「ために」小説を書くのだから、これはちらっと見える瞥見ではないが、しかし『ボヴァリー夫人』にわらじ虫自体は登場しなかったと思うし、わらじ虫のいる隅っこのカビの色はフローベールの記憶のなかで瞥見されたものとして息づいていたはずである。そうであればわらじ虫のいる隅っこのカビの色が、取るに足りないものであるとはいえ、『ボヴァリー夫人』を書きつつある作家にとって、必然的なものであることをフローベールは後から再確認したはずだ。この必然的なものは小説を書くために必要不可欠である。それを探さなければならないが、探しても見つかるものでないことはわかっている。だから客観的偶然は望まぬともそのまま必然的なものと化すのである。

目の隅っこに瞥見されるもの。こんなものは大芸術の愛好者にとっては単なる脱線にすぎないだろうし、崇高芸術の信奉者にとっては軽蔑に値する物の見方であろうが、そんなことはどうでもいい。ここにもうひとつ瞥見の例がある。宮川淳訳で読んでから何十年ぶりだろうか、思い立ってジョルジュ・バタイユの『マネ』を江澤健一郎の新訳で読んだ。翻訳も周到で正確だし、出色のマネ論であるし、あらためて美術史におけるマネという画家の革命性を現在という時点で考える上できわめて有意義で説得的な読書であったが、ここでもよそ見のときのように目に飛び込んでくるものがあった。まともに本が読めないのか、などとは思わないでいただきたい。巻末にマネの絵が添付されているが、目の端に見えたのはその作品解説であった。

シャルル・エフリュシは、マネから《アスパラガスの束》を購入した。そして自ら進んで、相場よりも高額な200フランを彼に支払った（200フランは現在の4万フラン以上に相当する）。マネは彼に謝意を表したいと考えて、《アスパラガス》を描いて送った。「あなたのアスパラガスの束には一本欠けていました」と贈り物に添えられた手紙は語っていた。これは、この画家の快活さをもっとも陽気に示す絵のひとつである。彼は、恣意的にならずに約束事から逃れられるときには、いつも気ままに振る舞っていたのである。これは、他とは異なる静物画〈死せる自然〉である。死んではいるが、同時に快活なのだ。

（ジョルジュ・バタイユ『マネ』、江澤健一郎訳、月曜社、二〇一六年）

このマネのユーモアと快活さは、どこか私の言う「瞥見」、よそ見を思わせるところがあると思った。この世知辛い世の中で、マネのアスパラガスを見習うことができればどんなにいいだろう。そしてちらっと見るには恣意的であってはならない。そして気ままに振る舞うためにはそのままで約束事から逃れねばならない。この場合、約束事はたいてい破るためにある。詩は裏切りである。そのような事態に見舞われたなら、降ってわいた偶然によって、思考は横滑りする。例えばアスパラガスのほうへ。この横滑りによって対照をなしていたいくつかの細部は必ずや別の次元に顕れる。無意味は無意味でも、その意匠を変えるのだ。口先だけで多様性多様性と喧伝しているこんな画一的な社会にいると、生の多様さとはこのことであると言いたくなる。文学もまたそれがたとえ破綻していても、破綻において多様である。横滑りというか、とにかくさらに脱線は続くだろう。そうでなくても、脱線して走り続ける汽車に飛び乗るのは我々の得意とするところである。車窓から別の景色が見えるではないか。

バタイユ自身はこの本のなかでこうも言っている、

表象された世界のもろもろの部分は、まさに横滑りのさなかにあって不均衡であるが、このような不均衡は、印象派の作品全体にはみられない。プルーストが、それを描写するのにまず発想源としたのは、間違いなくマネである。プルーストが表現しようとしたのは、マネに抱いた観念ではなく、印象主義、とりわけマネの印象主義に基づいて潜在的に画家となった彼自身の観念であり、その意味で彼はマネを超えていた。彼にはあの背徳的なねじれが潜んでいなかっただろうか。マネがカンバスに絶えず呼び出していた影、表象された主題の影という以上に横滑りのイメージであったあれらの影を、変貌させて加工していたあのねじれが。

（前掲書）

狡猾なプルーストはたぶん印象派を公然とは認めていなかったかもしれないが、印象主義から横滑りするものを眼光鋭い作家として捉えていた。彼はジョットやフェルメールをはじめ絵画や彫刻を愛していたし、それらに通暁していたが、絵画について述べるときは、彼自身が画家の向こうを張ろうとしていて、バタイユが「潜在的な画家」と言うように、絵筆をもたない、つまり文字を書くペンだけをもつ、絵を描かない画家であることもできるのだという自負があったのである。そしてそれはプルーストがほとんど最高の美術評論家であることを示していて、画家あるいは画家の感覚と同じような次元に、凡庸な作家や美術評論家には思いもつかないあの水準に自分をもち上げ、横滑りすることであった。

棚からぼた餅のように、ちょうどプルーストの名前が告げられたのだから、プルーストに横滑りして『失われた時を求めて』をちらっと覗くのも悪くないだろう。たしかに『失われた時を求めて』にはナジャ自体を髣髴させるような女性は登場しないが、つぶさに探せば、人物描写にかけては巧なプルーストのことだから、ナジャに連なるような下層階級（？）の女性が見つかるかも知れない。だが私が瞥見したいのはそのような女性ではなく、アスパラガスである。ただしこの一節の近くには別の形でメリュジーヌが登場していたはずだし、この場合はもってこいなのでとにかくアスパラガスを引用したい。プルーストの立派な翻訳はいろいろあるが、この一節はあまりに素晴らしく、せっかくなので自分で訳してみた。

だが私がうっとりしたのはアスパラガスを目のあたりにしたときであったが、それはウルトラマリンと薔薇色に濡れて、その穂はモーブ色と紺碧で細かく描かれ、気づかぬうちに色がしだいにぼかされて根元にまで至っていたが——それでも根元は畑の土でまだ汚れている——それは大地のものでない虹色の輝きによる。天上的なこの微妙な色合いはえも言われぬ女たちを顕《あらわ》にしているように私には見えていたが、女たちはふざけて野菜に変身したり、食用に適した身のしまった肉への変装をとおして、生まれつつあるあれらの曙の色合いのうちに、あれらの虹の素描のうちに、あの貴重なエッセンス、青い夕べのあの消滅のうちに、かいま姿を顕していたが、私がまだこのエッセンスをそれと認めていたのは、そこでアスパラガスを食べた夕食に続く夜の間ずっと、彼女たちがシェイクスピアの夢幻劇のように詩的で下品ないたずらをして戯れ、私の尿瓶《しびん》を香水壺に変えるときであった。

（『スワン家のほうへ』）

プルーストの物語の特徴は、文体の要求するそれなりの遠い結末だけでなく、ときにはまるで植物が四方八方に生い茂るような、特異な想像力の横滑りにあるのだから、プルーストの食べたアスパラガスは、マネの好意のアスパラガスとは異なり、メリュジーヌのような妖精もしくは怪物を、できればそれが誰の目にも隠されたまま日々発見するためにあったのかもしれない。

『ナジャ』とアスパラガスを関係づけることはできそうにないが、無関係のままの脱線なら延々と続けることができるだろう。もしかしたら関係づけてばかりいることは、逆にすべての事柄についての非関係の証明になるかもしれない。非関係であるからこそ、客観的偶然が生起する。だが世界がばらばらになっているからといって、これらの非関係がばらばらの要素であるとはかぎらない。本を読むこともまたそのようなものである。横滑りはそれなりに心地よいものであるが、我々を無視して、我々の外で、時間自体がおおよそそんな風に過ぎてゆくのがわかる。わざわざアナロジーや何やらをもち出さなくとも、時間の影響下にある我々の思考もまた元々そのようにできているからだ。宇宙まで続くセリーをなすように単にそれらは無駄に連なっていくのであるが、これはまさに悪夢の特徴でもある。被害妄想もそのような部類に入るだろう。それは何かと何かをやたらすすんで闇雲に関係づけるが、しかしつぶさに観察すると、それにまったく根拠がないとは言い切れないのかもしれない。

長きにわたって書き継がれたプルーストの『失われた時を求めて』の直筆原稿は、自分で読んでわかったのだろうかと思うくらいの迷路だった。細かく、とても汚い字で書かれ（プルーストの落書きもいろいろ残されているが、字が汚かっただけでなく、先に述べたようにいくら「潜在的な画家」のような物書きであったとはいえ、実際の絵は下手くそだった）、あちこちに挿入があり、抹消があり、ぐちゃぐちゃで……。若い頃、ブルトンはアルバイトでプルーストの原稿の整理か清書をやったことがあったらしく、心底うんざりしたらしい。私の妄想的横滑りではなく、そんな話をどこかで読んだ覚えがある。

## 幻滅
アルチュール・ランボー

エジプト在住のイタリア国籍のユダヤ人として生まれ、ナセル政権によってエジプトを追放されたエドモン・ジャベスの最後の地は、フランスのパリであった。死ぬまでユダヤ的な詩人であったエドモン・ジャベスは遺著となった最後の本のなかにこんなことを書いている。

《私に追いつけ》、とある賢者は書いていた、《おまえがもう私を探さないところで》。

彼の手紙は、ちょうど私が自分の住まいを去って、彼を探しに行こうとしていたときに私に引き渡された。

《これらの言葉を列挙する者は》、と彼は私に宛てた手紙に書いていた、《私ではなく、かつて頑固に彼自身のために書き続けていた、私であった人間である。

《そしてあたかも彼のペンがまだ書きつつあったことすべては、実際にはかつては私の現在であった過去のなかでのみ書かれているかのようなのだが、私にはその日付を明確にすることができない、突然の、そして決定的な決裂の前には。というのも私には憶い出も言葉もなく、多くの困難をもって私が自分を駆り立てようとしているときには、時間は廃棄されるからだ。

《私の回りには、震えるものは何もない。

《鉛より重く、空気よりも軽い不動性。

《書物の外には、空虚だけがある——その諸々の語《ヴォカーブル》を奪われたひとつの書物の空虚、ひとたび言われ、それから飛び立った事柄が残した、白色の広大な空間。

《解きほぐせない最後の諸瞬間。

《おお、無が告発する無の重荷》。


そして昼に決着をつける、このおぼつかない手。

（『歓待の書』鈴木創士訳、現代思潮新社、二〇〇四年）

どっちつかずの昼に決着をつけるようにして、私は君を、ちょうどこの手紙を書いた男のように、最後にはもう誰なのかわからなくなる君を、探していたのだろうか。私も君も幻滅していた。そんな幻滅を覚えてもう久しい。あのはげ山のような小高い丘の上には桃の木が一本だけあったが、桃はまだ花をつけてはいなかった。君を見つけた場所でしか、私は君を探すことができなかった。木には朝の光が当たっていたが、それは夜明けの薄暗がりのなかに突っ立った裸体などではない。偶然は見つけることと探すことのどちらに介在するのか。偶然は、時の経過とともに、後から考えるなら、使われなくなって引き出しのなかにしまわれたサイコロのように必ずや廃棄されていたではないか。

その木の枝には、枯れ枝であっても、決まって小さな鳥がとまりにやって来る。幾人かの人にダブって見えることもある君、すべての君は、まだ読んだこともない未知の作家、それでいてそのつど解きほぐせない最後の瞬間を前にしていたかのように、もう書くことができなくなった作家に似ているのかもしれない。それでも私には白く霞む広大な空白が向こうに広がっているのが見える。鷹が旋回していた。ここでは時間が空間になることはないだろう。どんな最後の瞬間も、先の手紙を書いた男が言うように、この空間にあってはやはり解きほぐせないのだろう。魔法の糸玉を解きほぐしても、脱出できるのは鷹の旋回するあの空虚のなかだけかもしれない。君はアリアドネではないし（アリアドネはやむにやまれず私自身を導いた私の幻影であったかもしれない）、私はテセウスではない。迷宮は一本の糸、つまり一本だけしかない線でできているか、存在しないかのどちらかだ。かつて、「かつて」はなかったが、いま、「今」はない。丘の上の明るい木の枯れ枝に鷹がとまることはもうないだろう。枝が折れてしまうことを鷹は知っているからだ。

江戸時代の放浪の漢詩人、大工の棟梁をやめて漂白と遊行の人となった柏木如亭に倣うなら……

青邨《せいそん》　喜び対す　好風光
復《ま》た雪花の草堂を囲む無し
岸脚《がんきゃく》　波を生じて魚は躍在し
田頭《でんとう》　麦を露《あら》わして鳥は飛揚《ひよう》す
桃源記裏《とうげんきり》　渓山老い
盤谷図中《ばんこくずちゅう》　日月《じつげつ》長し
筆を援《と》りて　明窓　適意を書す
研池《けんち》　日暖かにして未《いま》だ昏黄《こんこう》ならず

（『柏木如亭詩集』1、揖斐高訳注、東洋文庫、平凡社、二〇一七年）

晴れた村里にいて心地よい風光に向き合っていると嬉しいものだ。舞い散る雪が私の草堂を囲むことはもうない。岸辺には波が打ち寄せ、魚は跳ね、田んぼから麦が芽を吹き、その上を鳥が飛んでいる。晋の陶潜の「桃花源記」にあるように、山川は長い年月を経てきたのだ。唐の李愿が隠居したというバンコクを描いた画がそうであるように、月日はゆっくりと流れる。いま筆をとって、明るい窓辺で、この心地よさを書いているが、硯の墨だまりに暖かな日差しが差し込んでいて、夕方までまだ時間がある。

僻地　年来　新《しん》ならざるを奈《いか》ん
芳《はな》を栽《う》ゑて苦唫《くぎん》の身に伴はんと要す
無名の野草　顔色有り
且《しばら》く当《あ》つ　桃花一樹の春

辺鄙な土地で何年か過ごしていると、毎日がちっとも変わり映えしないが、どうしたものか。花でも植えて詩作に呻吟するこの身に添えたほうがいいかもしれない。名もない草にも美しさはある。花が咲けば春の到来を告げる桃の木のかわりに、しばらくはこの草でも当てがっておこう。

最近、この漢詩人が気になっていたので、詩集から行き当たりばったりに拾ってみたが、「硯の墨だまりに差し込む暖かい日差し」も、「無名の草」も、詩人にとって時間に逆らうものとして現れている。ゆっくりと時が流れ、山河にそのような悠久の時間が流れていることを諦め気味に喜ばしく思ってはいても、突然、硯に光が当たる。如亭は江戸の暮らしや知識人に幻滅し、漂白の身空にある。詩を書かねばならないと思案するが、彼は無聊《ぶりょう》をかこっている。詩人が光の当たった硯を見る。神経質に見ざるを得ないのだ。だからといって彼はその事態をうまく書くことができない。桃花一樹の春を今はまだ感じることができない。あるいは桃の木は冬のあいだに枯れてしまっているかもしれない。少なくともこの瞬間にそれを感じることができなければ、このぱっとしない生活はいかんともしがたい。代わりにあてがわれた無名の草などといっても、そいつは変わりばえのしない生活のなかで呻吟する自分にそっくりではないか。如亭の言う心地よさとは何なのだろう。ただの春眠なのだろうか。遊び暮した後の如亭の諦念は再び幻滅へと変わるのだろうか。

あるいは、これまた唐突だが、芥川龍之介の『或阿呆の一生』の一節がある。

彼は大きな檞《かし》の木の下に先生の本を読んでゐた。檞の木は秋の日の光の中に一枚の葉さえ動さなかつた。どこか空中に硝子の皿を垂れた秤《はかり》が一つ、丁度平衡を保つてゐる。

これだけの一章である。尊敬すべき先生、漱石先生。だが秋の木立の下で、幻滅の向こうに秤が見える。先生の本を読んでもどうにもならない。弱々しい秋の光が射している。この透明な幻覚には理由らしきものはないが、秋の日の光のなかに浮かぶ秤にはどこか厳しさを感じさせるものがある。それとも結局最後には自殺する挽歌詩人たちが生きている頃には自分のことを棚に上げていたように、芥川にもあの感覚の十月がいっとき到来したのだろうか。皿は、ありえないことだが、透き通ったガラスでできていて、上には何も載っていない。ジャベスのように語るなら、分銅より重く、空気より軽いもの。せめて風に揺れていればまだしも、風はそよともしない。でもそれは何かを量るためにある。何を天秤にかけるのか。何を天秤にかければいいのか。幻滅した芥川はそれでも量ることを恐れているのか。秤は息を呑むような平衡を保って静止している。この静けさは狂気じみている。

アルチュール・ランボーは柏木如亭と芥川龍之介のちょうど中間の世代である。レバノン出身のフランス語作家サラ・ステティエはランボー論である『ランボー　第八番目の眠る人』（ファタ・モルガナ、一九九三年）のなかで、ランボーに幻滅はなかったと述べていた。「ランボーには幻滅はないが、あの怒りがあって、それは不良少年であり見者である彼とともに生まれたように見える、しかもそれをランボーは自分の作品と生のなかに引きずって行ったのである、あたかもその怒りが、彼の言語の奪取と餌食の澄み切った非実体性に、それらの合体不能性に、ついで世界の過酷な合体可能性に、唯一の可能な答えを与えるかのように」。

いや、私の見るところ、ランボーの人生は幻滅につぐ幻滅、失望につぐ失望だった。ランボーは妥協できなかったからだ。そうでなければ、ランボーが詩を捨て去ることはなかったかもしれない。真の生が不在であれば、真の作品も不在だったのか。詩人ルネ・シャールは「よくぞ出発した、アルチュール・ランボーよ！」と言ったが、この繰り返された「出発」は、しかし私にはとてつもない幻滅をともなっていたとしか思えないのだ。

ランボーの言語のがむしゃらな獲得は自分を餌食にしたのだし、あらゆるもの（田舎の暮らし、学校での毎日、母親、失踪した父、先生、読んだ本、自分自身が行った失敗続きの出奔、あらゆるものからの自発的逃亡、敗北したパリ・コミューン、自分の知り合った有名無名のパリの詩人たち、自分の詩の未来の出版……）に対する言いようのない彼の苛立ちとは、つねにこの出発の真の裏面をなし、つねにこの闇雲の出発の原因であった長い幻滅に裏打ちされていたとしか思えない。ほんとうのところは誰にもわからないにしても、幻滅とそれにともなう怒りの発作は彼を道からそらせ、その行く手をはばみ、道を誤らせたかもしれないが、たしかに「ランボーは自分を欺かなかったし、自分に嘘をつかなかった」のだ。別の観点からすればそれはしごく当然なことだったかもしれない。

だから少年の彼は出発したのだし、少年でなくなったときにいたるまで出発は繰り返された。言葉は外に投げ捨てられた。彼自身の言葉は刺青のようにすでに彼の肉体に彫られていたのだから、余計なものは捨ててしまえばそれでよかった。詩を書くのではなく、少年の彼にとって「詩がげんに在る」ことと「瞬間の王である」ことが釣り合っていたからこそ、彼は書く前に出発し、人生を「やり過ごす」ことができた。ランボーの詩は紛れもなく生の詩であったが、一方で彼は自分の人生を足蹴にしていた節がある。原動力は怒りだけでなく、幻滅である。怒りだけなら、ランボーは瞬間の王として自殺していただろう。彼はこの繰り返された出発の停止を余儀なくされたとき、病に倒れ三十七歳で死ぬことになる。

ほんとうによくぞ出発したものだ。ほれぼれするような出発だった。『イリュミナシオン』（そして『ある地獄の季節』）の輝かしい詩的散文には、砕け散ったガラスの乱反射のきらびやかさと、みずみずしい怒りと、発作をともなった黙考があり（彼の思考のスピードはとても早かった）、やがて砕け散ってしまう「透明なガラスの皿のついた秤」のように冷徹なところがあるが、そのガラスのかけらの反射が世界を詩と散文によって傷つけ血を流させ、あっけらかんと「自由な自由」を地で行く文体を、そして我々にとっていずれ未知の新しい秤となる詩文を、要するにこれ以上ない「世界の散文」を生み出す万華鏡となるには、大いなる幻滅をともなったあの彼独特の観察が必要だった。ランボーの早熟がそれに輪をかけてこの幻滅を決定づけた。彼はまだ二十歳にもなっていなかったのだ。だがその観察は不良少年のくせに老成してしまった者のそれである。

ランボーは歩き回って丘の上まで来ると、疲れ切って腰を下ろした。朝になっていた。彼は薔薇色に染まりはじめたまだ眠りこけている下方の街々をじっと見つめていた。この黎明のカレイドスコープのなかに子供が落ちていった。それはランボー自身だったのか。たったひとりでランボーは見定めていたのだ、このあまりに非現実的な現実のまっただなかで、幻滅の向こうに、不眠の言葉とともに何が到来するのかを。そしてそれは、語の真の意味において、そのつどほぼ一回きりのことだった。彼はそれを書いたし、彼にとってそれが書くことだった。

その後、長い歳月を経て、詩を捨てたランボーはアビシニアの砂漠へ行き着いた。そうであれば、後には書くべきことが何も残されていなかったとしても驚くにはあたらないだろう。

# 思考の破綻について

## 後書きにかえて

「命運の慮《おもんばか》りは、君たちの知識の及ぶところにあらず。さきを見透かすこの女神が、その領内をとりさばくこと、他の神々のなすに同じ。必然の任《まけ》のまにまに推移して、やすむひまなき命運のすばやさ。かくて、人々は、はげしい有為転変に見舞われる。」

——ダンテ『神曲』寿岳文章訳

「破綻」はニーチェ的な問いでもある。思考は、それを鍛え上げれば上げるほど、あるいは例外的瞬間を享受すればするほど、小さな山崩れを起こすように、自らのうちに空隙をあけ、空白をつくり出すことがある。緑の山に禿げたように山肌がむき出しになっている一角があるのがここからも見える。たしかに思考はひとつの力であるが、思考が「自由」であり、若々しいものであるためには、このような「欠損」を芽生えのようにはじめから自らの隠れた構成的要素としていなければならない。ワーグナーについて、作品から作者へと遡って考えるなら、創作を駆り立てたものは充実ではなく欠乏であるとニーチェが述べるのは、そういう意味である。そうでなければ、実際、かくいう作品において思考が何らかの目標に達することはないだろう。

人がそのような創作の空間のなかへ入ったとき、創造の充実、空間の充溢が自由への献身のように見えるのはおめでたい錯覚である。芸術家が商売人に見えるのはそういうときである。しかしたいした儲けはない。芸術のイメージは最後に発光して消える。そこで創作の可能性は汲み尽くされる。このようにそこには欠乏しかなかったのだから、思考は破綻の憂き目にあうことによってこそ、新たな自由を獲得する。思考はその意味で不具であり、恐る恐る自分に近づき、それに触れ、それに驚愕し、それになろうとする。発狂する前のドイツの詩人ヘルダーリンが言うように、「君は生き、君は見て、君は驚く」。そう、君は思考した。だから君は驚愕したことになるのだ。思考に希望があるのは、いつも思考が思考の危機から逃れることができないからである。我々はずっとこの危機のなかにいた。我々はずっとこの危機と戦い、破れかぶれのままで、ある段階に達するとそれを愚弄し、手玉に取った。思考は破綻し、それを我々は笑った。戦闘状態のなかでそれと踊ることもできた。芸術の歴史などというものがあるとすれば、それがどんな思考をともなっていようと、この隠れた戦いのあえかな顚末でしかないことをカフカのような作家はよく知っていたのである。

本書では、音楽、数学、絵画、身体、映画、哲学の近傍をかすめて通過することになったが、私にとってそれらは何よりもまず文学の問いとして先在する。だがこの「文学」とはいったい何なのか。洋の東西を問わず、あまたの文学作品に接してみれば、文学の本質がその破綻にあることは明白である。たとえば文学の思考が、世界をめぐって、数学的統覚、哲学的直視、絵画的触知、音楽的内破、光学的懸隔、身体的包摂、感情的離接、等々と区別がつかず、あるいはそれらへと接近し、不慮の融合的遭遇を遂げ、そしてそのことによってある高次の否定性へと高まるのは、その思考がすでに破綻し、その基底に綻びがあり、その破れからこそ自らが出立しているからである。思考の危機はいつも文学に救いを求めたが、その伝聞によってすら文学はすでに破綻した己れの姿を示すことができただけである。それはほとんど文学の矜持でさえある。

文学の実在はそのひび割れた底のほうからこうして何かを放っている。放たれたものはいったい何だったのか。経験されたある種の思考の徴《しるし》だったのか。思考にとって最後の問題はその実在、さらに実在そのものが何であるかを知ることだったが、我々は否定によってしかそのことを吟味できなかった。否定の否定などと言っても同じことである。たとえば我々は否定の否定のそのまた先にある現実的無限(実無限)を感覚的所与として生理的に理解することができない。それは最高位の知であるが、そこへと至る、眩暈を覚えるほどの知の段階などといっても、それら知的段階は既知の空間時間内部の覚知でしかない。しかもそれは「始まり」と「終わり」の間に挟まっている。したがってその大いなる否定性は世界における我々のもつ人知の分解的組成の成り立ちをはなから否定する。その組成を、眼前にある無限の階層において図らずも同型をなすもののなかでは、学問的分析によって調べ上げることはできない。我々の直観はそう教えている。しかも我々は神ではない。だからこそ逆にこの否定性は新しい「世界」の身体を乖離的に表出することによって、世界自体をあらためて拒絶する好機をもつのである。それがまたとないチャンスなのだ。

文学が、ある地点において、物言わぬ機械と同等なものになるのはそういうことである。だが文学が何であれ、文学がその地点から引き返し、いつもの常套手段にとどまる限り、今度は文学における思考自体が否定され、思考は最悪の意味で絶句するだろう。しかし思考もまた巧みに絶句することができるのだ。その意味では、否定性はそっくりそのまま新しい肯定の挙措に変わることがある。世界のなかでそれを目撃するのもまた我々である。触れてはならないものだった永久機械は壊れてしまい、物言わぬ機械がそれにとってかわる。良きにつけ悪しきにつけ、それが我々の現状である。我々の言う文学はその一形状というか、分解できないその歯車でしかないのだろうか。それは噛み合うもののない歯車である。だが歯車を滑らかなものにできる魔法の油などあるはずがない。それればかりか、何も語らないのに言葉を生み出しているのだけれど、物言わぬ機械に耳を傾けることはおろか、はっきりと目にすることもできない。だがこの機械は思考にとって実在しているのである。

雨が上がり、外で小鳥が囀《さえず》っている。この可憐な小鳥は殺されてしまうかもしれない。だが思考は囀りではない。空を飛ぶことのできる可憐な小鳥とは違って、我々には如何ともしがたいデクノボウのような身体がある。だが身体は思考を発し、思考もまた身体を発している。時おりこのような身体は知らぬ間に別の位相へと移動し、あるいはおのずから溢れ出すことがある。我々はこのような身体の変成が思考の破綻と同期することを知っているが、それがどんな危機や危険を絶えず摂取していようと、明後日へ向かって横滑りするほかはない。そうであれば、このまるで身体のような思考にとって、ジャン・ジュネが言うような「困難な新しい仕草」は可能なのだろうか。その新しい思考の仕草は小鳥の囀りとは別のものであるだろうし、思考の破綻から生じるものに限りなく似たものとなるだろう。そして私にそれを察知し理解することができたのであれば、私に僥倖が訪れたのだと考えるだろう。思考の破綻はこんな風にみずみずしい。今度こそ思考が巧みに破綻したなら、我々はありえないような、ありそうもない世界を見ることができるのだ。

# 跋

私にとって、いまだに「文学」は生きる糧であり、月並みな絶望と希望の原因結果であり、日常の軌跡である、というかそうでしかありえないことを、そのようにしかできないことを嘆くこともない。私自身もまた普通に破綻しているのだろう。私は、偽の古典主義者として、さまざまな意味で芸術は進化しないと考える者であるが、繰り返すなら、ベケットの言うように、書くことにおいて巧みに破綻できればどんなにいいだろうかと思う。それはいまだ私にとって作家としての理想である。

なお引用箇所には、邦訳があるものは訳者名を銘記したが、訳文を変えさせていただいたところがあることをお断りしておく。

企画の段階から最後まで、阿部晴政さんからさまざまな貴重な助言をいただいて本をつくることができた。編集も担当していただいた阿部氏と本にしていただいた月曜社の神林豊氏に感謝を申し上げます。

二〇二二年二月

初出

「帝国は滅ぶ」『ＨＡＰＡＸ』6号　夜光社、二〇一六年
「優れた作家は上手く破綻する」『コメット通信』12号　水声社、二〇二一年
「瞳は冴する」『Soichiro Kusumori, ECHOES 楠森總一郎初期作品集』 HEAR HEAR Inc. 二〇二〇年
「パンクの平和」（原題「パンクス・ロマーナ」）『ユリイカ』九月臨時増刊号、青土社、二〇一九年
「俳優は破綻する」（原題「映画のように」）『文藝別冊　萩原健一』、河出書房新社、二〇一九年
「歴史に反論する映画」（原題「カール・ドライヤー『裁かるるジャンヌ』」）『LA PASSION DE JEANNE D'ARC』（Blu-ray Disc, DVD 解説）、アイ・ヴィー・シー、二〇一九年
「ニーチェを讃える」『ＨＡＰＡＸ』10号　夜光社、二〇一八年
「思考の破綻について」　書き下ろし

それ以外の文章は、現代思潮新社ウェブサイト内「鈴木創士の部屋」のコラム二〇一三年〜二〇二二年が元になっている。

なお、初出の文章には大幅に手を加えたものがある。

鈴木創士

一九五四年、神戸生まれ。フランス文学者、作家、評論家、翻訳家、ミュージシャン

著書

『アントナン・アルトーの帰還』（河出書房新社、一九九五年／現代思潮新社、二〇〇七年）
『中島らも烈伝』（河出書房新社、二〇〇五年／『ザ・中島らも　らもとの三十五光年』河出文庫、二〇一六年）、
『魔法使いの弟子　批評的エッセイ』（現代思潮新社、二〇〇六年）、
『ひとりっきりの戦争機械』（青土社、二〇一一年）、
『サブ・ローザ　書物不良談義』（現代思潮新社、二〇一二年）
『分身入門』（作品社、二〇一六年）
『離人小説集』（幻戯書房、二〇二〇年）
『うつせみ』（作品社、二〇二〇年）
『文楽徘徊』（現代思潮新社、二〇二一年）

編著
『連合赤軍　革命のおわり革命のはじまり』（月曜社、二〇二一年）

監修
『アルトー後期集成』全三巻（共同監修、河出書房新社、二〇〇七-二〇一七年）

翻訳
アラン・バディウ『ドゥルーズ　存在の喧騒』（河出書房新社、一九九八年）
エドモン・ジャベス『歓待の書』（現代思潮新社、一九九九年）
アントナン・アルトー『神の裁きと訣別するため』（共訳、河出文庫、二〇〇六年）
アントナン・アルトー『ヘリオガバルス　あるいは戴冠せるアナーキスト』（河出文庫、二〇一六年）
アントナン・アルトー『演劇とその分身』（河出文庫、二〇一九年）
ジャン・ジュネ『花のノートルダム』（河出文庫、二〇〇八年）、
アルチュール・ランボー『ランボー全詩集』（河出文庫、二〇一〇年）
ベルナール・ラマルシュ＝ヴァデル『すべては壊れる』（共訳、現代思潮新社、二〇一五年）
他多数

# 芸術破綻論《げいじゅつはたんろん》

著者　鈴木《すずき》創士《そうし》

二〇二二年五月二〇日　第一刷発行

発行者　神林 豊

発行所　有限会社月曜社

〒一八二-〇〇〇六　東京都調布市西つつじヶ丘四-四七-三

電話〇三-三九三五-〇五一五（営業）〇四二-四八一-二五五七（編集）

ファクス〇四二-四八一-二五六一

http://getsuyosha.jp/

編集　阿部晴政

装幀　大友哲郎

印刷・製本　モリモト印刷株式会社

ISBN978-4-86503-136-2